ÉDITIONS FAVRE SA

SIÈGE SOCIAL
29, rue de Bourg
CH-1002 Lausanne
Tél +41 (0)21 312 17 17
Fax +41 (0)21 320 50 59
lausanne@editionsfavre.com

BUREAU DE PARIS
12, rue Duguay-Trouin
F-75006 Paris
Tél +33 (0)1 42 22 01 90
Fax +33 (0)1 42 22 01 90
paris@editionsfavre.com

www.editionsfavre.com

Dépôt légal en Suisse en novembre 2010.
Tous droits réservés pour tous pays.
Sauf autorisation expresse, toute reproduction de ce livre,
même partielle, par tous procédés, est interdite.

ISBN 978-2-8289-1198-0

SOLAR
IMPULSE
HB-SIA

FAVRE

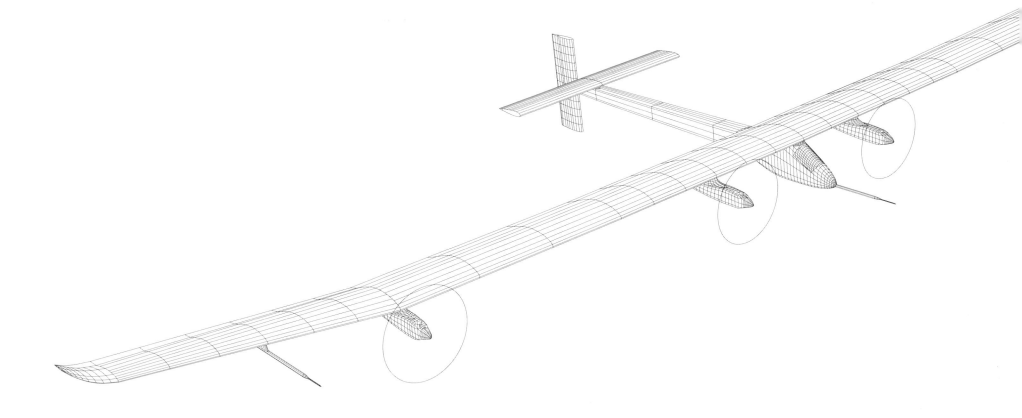

SOLAR
IMPULSE
HB-SIA

PORTRAITS CROISÉS
GEGENSEITIGE PORTRAITS
RECIPROCAL PORTRAITS

ANDRÉ BY BERTRAND

André et moi partageons tellement de valeurs communes qu'il est étonnant que nous ne nous soyons pas rencontrés plus tôt. Pourtant nous sommes totalement différents dans notre façon d'aborder les choses, et cette complémentarité m'a séduit. Moi qui ai toujours fonctionné par intuition et imagination, je me suis retrouvé en face d'un entrepreneur à la force de travail impressionnante. Déjà pendant l'étude de faisabilité, je le regardais agir avec admiration : il faisait tout, et tout de suite. Rien n'était jamais laissé au lendemain. Si ce tour du monde devait avoir lieu avant vingt ou trente ans, c'était avec André que je devais le préparer. Nous devions nous associer, pour former l'équation parfaite du 1 + 1 = 3. Et la suite l'a prouvé. Les choix stratégiques d'André se sont avérés déterminants : créer les compétences à l'intérieur de l'équipe, développer un réseau de spécialistes, prendre le temps de tout simuler avant de construire.

Son énorme expérience de pilote militaire a été également un atout pour le succès de l'étape initiale du projet. C'est vrai que j'aurais aussi voulu effectuer le vol de nuit, mais pendant qu'André pilotait de main de maître le premier avion à passer une nuit en vol grâce à l'énergie du soleil, j'étais profondément heureux pour lui et pour moi. Il démontrait la réalité de ma vision, mais surtout, et il le méritait tellement, il volait sur l'avion qu'il avait construit.

Da André und ich so viele gemeinsame Werte teilen, erstaunt es, dass wir uns nicht schon früher begegnet sind. Wir packen die Dinge auf völlig unterschiedliche Weise an und ergänzen uns dabei, gerade das gefällt mir. Ich, der ich aufgrund von Intuition und Fantasie funktioniere, fand mich an der Seite eines Unternehmers mit einer beeindruckenden Arbeitskraft wieder. Schon während der Machbarkeitsstudie bewunderte ich ihn: Er machte alles und sofort. Nichts hat er je auf den nächsten Tag verschoben. Es war klar, dass ich die Weltumrundung mit André vorbereiten musste, wenn diese nicht erst in zwanzig oder dreissig Jahren stattfinden sollte. Nur gemeinsam bilden wir die perfekte Gleichung 1 + 1 = 3. Der weitere Projektverlauf gab uns recht. Andrés strategische Entscheidungen waren dabei massgebliche Erfolgsfaktoren: Die Kompetenzen innerhalb des Teams zu schaffen, ein Netzwerk aus Spezialisten aufzubauen, vor der Konstruktion genügend Zeit für Simulationen einzuräumen.

Wesentlich zum Erfolg der Startphase beigetragen hat auch seine grosse Erfahrung als Militärpilot. Natürlich hätte auch ich den Nachtflug gerne selbst durchgeführt, aber während André das Flugzeug mit Solarenergie meisterhaft durch eine ganze Nacht flog, war ich zutiefst glücklich für ihn und für mich. Er hat bewiesen, dass meine Vision Wirklichkeit werden kann, aber vor allem hat er es so sehr verdient, mit dem von ihm gebauten Flugzeug zu fliegen.

André and I have so many values in common that it is surprising we did not meet sooner. Yet we are completely different in the way we do things, and this complementarity appealed to me. I, who have always done things by intuition and imagination, found myself beside an entrepreneur with an impressive capacity for work. As early as the feasibility study, I watched him with admiration: he did everything straightaway. Nothing was left until the next day. If the round-the-world trip was to happen before 20 or 30 years, then André was the person with whom I should work to prepare it. Our association made the perfect equation: 1 + 1 = 3. And the results have borne this out. André's strategic choices have proved to be decisive: creating the skills within the team, developing a network of specialists, taking the time to simulate everything before building.

His vast experience as a military pilot was also key to the success of the initial phase of the project. True, I had also wanted to do the night flight, but as André masterfully piloted the first airplane ever to spend a night in flight using solar energy, I was truly happy for him and for myself. He demonstrated the reality of my vision, but above all, and so deservingly, he flew the aircraft he had built himself.

BERTRAND BY ANDRÉ

J'avais bien sûr suivi avec intérêt le tour du monde en ballon de Bertrand, et m'étais dit que c'était le genre d'aventure qui me tenterait. J'avais même eu envie de l'approcher, mais pour lui dire quoi ? Notre rencontre à l'EPFL me parut donc une évidence. Son idée de faire voler un avion jour et nuit sans aucun carburant, de frôler le vol perpétuel, était tout simplement brillante, et elle correspondait en tous points à mon propre besoin d'aventure. De plus, Bertrand amenait une vision nouvelle : démontrer les synergies entre technologie, écologie et économie par un exemple concret. Il y avait là une vraie ambition, une œuvre de pionnier qui s'inscrit parfaitement dans l'histoire de sa famille, et de plus devient une nécessité pour l'avenir de notre société. Pionnier, mais pas rêveur, au vu de son incroyable capacité à motiver des partenaires et à trouver le financement de ce projet.

Notre collaboration est peu à peu devenue une amitié, même si Bertrand a une manière de raisonner parfois déconcertante. En dehors des certitudes. N'est-ce pas ainsi qu'il faut faire pour réaliser l'impossible ? Et cet impossible, nous avons déjà commencé à l'atteindre ensemble. Tout en pilotant Solar Impulse, en voyant pour la première fois de ma vie les réserves d'énergie augmenter au fur et à mesure des heures de vol, j'éprouvais de la reconnaissance envers celui qui m'a fait confiance pour l'accompagner dans un des rêves les plus fous et néanmoins les plus nécessaires.

André Borschberg

Bertrands Weltumrundung im Ballon habe ich natürlich interessiert verfolgt und dachte, dass ich mich für ein solches Abenteuer auch begeistern könnte. Ich wollte ihn sogar ansprechen, doch was sollte ich ihm sagen? Unser Zusammentreffen an der EPFL schien mir dann wie selbstverständlich. Seine Idee, mit einem Flugzeug Tag und Nacht ohne Treibstoff zu fliegen, wie beim immerwährenden Flug, war ganz einfach brillant und entsprach genau meiner eigenen Abenteuerlust. Ausserdem brachte Bertrand eine neue Vision ein: Er wollte die Synergien zwischen Technologie, Ökologie und Wirtschaft an einem konkreten Beispiel aufzeigen. Darin lag echter Ehrgeiz, es war eine Pionierleistung, die sich nahtlos in die Geschichte seiner Familie einfügt und ausserdem eine Notwendigkeit für die Zukunft unserer Gesellschaft ist. Er ist ein Pionier, aber kein Träumer und hat diese unglaubliche Fähigkeit, Partner zu motivieren und finanzielle Mittel für das Projekt aufzutreiben.

Aus unserer Zusammenarbeit wurde allmählich Freundschaft, selbst wenn Bertrand manchmal verwirrend argumentiert. Ausserhalb unserer Sicherheiten. Doch braucht es nicht genau dies, um das Unmögliche zu erreichen? Gemeinsam sind wir bereits auf dem Weg dorthin. Am Steuer der Solar Impulse, als ich zum ersten Mal in meinem Leben die Energiereserven eines Flugzeugs ansteigen sah, war ich Bertrand dankbar, mir vertraut zu haben, um ihn bei einem der verrücktesten und gleichzeitig notwendigsten Träume zu begleiten.

I followed Bertrand's nonstop round the world balloon flight with interest, and said to myself that this was the kind of adventure I would be tempted by. I even thought about approaching him, but to say what? So I felt our eventual meeting at the EPFL was inevitable. His idea of flying an airplane night and day without fuel, of verging on perpetual flight, was simply brilliant, and it matched all points of my own need for adventure. Also, Bertrand brought a new vision, that of demonstrating the synergies between technology, ecology and economics by a concrete example. In this he had a genuine ambition, a pioneering project that was perfectly in tune with his family history, and also one essential for the future of our society. He is a pioneer, but not a dreamer, given his incredible capacity to motivate partners and seek out funding for this project.

Gradually our collaboration has become a friendship, even if Bertrand sometimes has a disconcerting way of thinking: always going beyond common assumptions. But isn't that the only way to reach impossible goals? And now, we have begun to realize an impossible goal together. While piloting Solar Impulse and seeing, for the first time in my life, energy reserves increasing with the number of flying hours, I was filled with gratitude for the person who trusted me to accompany him on one of the wildest but most necessary of dreams.

UN SYMBOLE
EIN SYMBOL
A SYMBOL

UNE VISION NÉE DU DÉSERT

«La question maintenant n'est pas tant de savoir si l'homme pourra aller encore plus loin et peupler d'autres planètes, la question est de savoir comment s'organiser de façon à rendre sur Terre la vie de plus en plus digne d'être vécue», déclarait Auguste Piccard en 1931 à la suite de sa première ascension stratosphérique. Quoi de plus logique, dès lors, que son petit-fils initie 70 ans plus tard un projet combinant exploration scientifique et promotion des énergies renouvelables.

Lorsque Bertrand Piccard et Brian Jones posent leur capsule dans le désert égyptien, le 21 mars 1999, au terme du premier tour du monde en ballon sans escale, il ne leur reste que 40 kg de propane liquide sur les 3,7 tonnes emportées au décollage. Si les jet-streams n'avaient pas été aussi puissants, leur tentative aurait échoué, faute de carburant.

Bertrand Piccard se fait alors la promesse de refaire un tour du monde, mais cette fois-ci sans aucune source d'énergie fossile. L'idée d'un avion propulsé uniquement à l'énergie solaire, capable de voler de nuit comme de jour, vient de naître dans l'esprit du psychiatre et aéronaute suisse. Mais, du rêve à la réalité, le chemin est parfois long. Est-il seulement réalisable avec le degré de connaissances et d'évolution technologique du moment?

EINE VISION AUS DER WÜSTE

«Die Frage ist heute nicht, wie weit die Menschheit noch gehen und ob sie andere Planeten bevölkern kann. Es geht vielmehr darum, wie wir das Leben auf der Erde lebenswerter machen können», erklärte Auguste Piccard 1931 nach seinem ersten Flug in die Stratosphäre. Es scheint durchaus logisch, dass sein Enkel 70 Jahre später ein Projekt initiiert, bei dem es sowohl um wissenschaftliche Forschung als auch um die Förderung der erneuerbaren Energien geht.

Als Bertrand Piccard und Brian Jones am 21. März 1999 am Ende ihrer Nonstop-Weltumrundung im Ballon in der ägyptischen Wüste landen, sind von den ursprünglich an Bord genommenen 3,7 Tonnen flüssigem Propangas gerade noch 40 kg übrig. Ohne die kräftigen Jetstreams wäre der Versuch an Treibstoffmangel gescheitert.

Bertrand Piccard, Schweizer Psychiater und Luftfahrer, gibt sich selbst das Versprechen, die Erde noch einmal zu umrunden, aber diesmal ohne fossile Energien. Die Idee eines Flugzeugs, das Tag und Nacht nur mit Solarenergie fliegen kann, ist geboren. Doch der Weg vom Traum zur Wirklichkeit kann lang sein. Und ist das Projekt angesichts des heutigen Stands der technologischen Entwicklung überhaupt machbar?

A VISION BORN OF THE DESERT

"The question now is not so much whether man can go even further and populate other planets, the question is how to organize ourselves to make life on earth more worth living", said Auguste Piccard in 1931 following his first ascent into the stratosphere. So it is quite natural that, 70 years later, his grandson should launch a project combining scientific exploration and renewable energy promotion.

When Bertrand Piccard and Brian Jones landed their capsule in the Egyptian desert on March 21, 1999 after the first ever round-the-world balloon flight, just 40 kg were left of the 3.7 tons of liquid propane they had on take-off. If the jet streams had been less powerful, their attempt would have failed for lack of fuel.

Bertrand Piccard then promised himself to fly round the world once again, but this time without any fossil energy. The idea of an aircraft powered only by solar energy, capable of flying night and day, had just entered the mind of the Swiss psychiatrist and explorer. But the path from dream to reality can be a long one. Could this be done with existing knowledge and technology?

DÉFI POUR LE FUTUR

En 2002, Bertrand Piccard et son coéquipier Brian Jones sillonnent les USA pour faire un état des lieux de la recherche et se lient avec plusieurs spécialistes de l'aviation solaire. Tous les encouragent à relever le défi de faire voler ainsi un pilote autour du monde. Bertrand se tourne alors vers l'Ecole Polytechnique Fédérale de Lausanne (EPFL) dont le directeur de la recherche, Stefan Catsicas, s'enthousiasme pour le projet: l'avion solaire sera un formidable laboratoire volant, dans une vision transdisciplinaire, stimulant à la fois des projets fondamentaux à l'interface entre les enseignements classiques et le transfert de technologies vers des applications pratiques.

Aussitôt, l'Ecole Polytechnique Fédérale de Lausanne lance une étude de faisabilité et en confie la direction à André Borschberg, ingénieur, lui-même pilote et passionné d'aéronautique. Les conclusions sont encourageantes: ce ne sera ni facile, ni gagné d'avance, mais réalisable. Le projet est officiellement lancé le 23 novembre 2003.

Pour Bertrand Piccard, son projet d'avion solaire va même plus loin dans sa vision du futur: plus qu'une fin en soi, Solar Impulse sera le symbole des nouvelles technologies que notre société devrait être capable de mettre en œuvre afin d'économiser les ressources naturelles de notre planète et ainsi préserver, voire améliorer la qualité de vie. Le symbole d'un état d'esprit, d'une philosophie.

HERAUSFORDERUNG FÜR DIE ZUKUNFT

2002 reisen Bertrand Piccard und sein Teamkollege Brian Jones quer durch die USA, um den aktuellen Stand der Forschung zu ermitteln und Kontakte zu mehreren Experten aus der Solarluftfahrt zu knüpfen. Alle ermuntern sie, die Herausforderung der solaren Weltumrundung anzunehmen. Bertrand Piccard wendet sich an die Eidgenössische Technische Hochschule Lausanne (EPFL), deren Forschungsdirektor Stefan Catsicas vom Projekt begeistert ist: Er sieht das Solarflugzeug als wunderbares fliegendes Labor für transdisziplinäre Grundlagenprojekte an der Schnittstelle zwischen den klassischen Studiengängen und dem Technologietransfer in die Praxis.

Sofort startet die EPFL eine Machbarkeitsstudie unter Leitung von André Borschberg, Ingenieur, Pilot und leidenschaftlicher Luftfahrer. Die Ergebnisse sind ermutigend: Es wird nicht leicht sein, aber es ist machbar. Am 23. November 2003 wird das Projekt offiziell lanciert.

Für Bertrand Piccard geht die Bedeutung des Solarflugzeugprojekts weit über den Selbstzweck hinaus. Solar Impulse soll vielmehr ein Symbol der neuen Technologien sein, die es uns ermöglichen, die natürlichen Ressourcen unseres Planeten zu schützen und so auch unsere Lebensqualität zu verbessern. Das Symbol einer Geisteshaltung, einer Philosophie.

CHALLENGE FOR THE FUTURE

In 2002, Bertrand Piccard and his friend Brian Jones travelled the length and breadth of the U.S. to check out the current state of research. In the process they came across a number of solar aviation specialists, all of whom spurred them on to the challenge of flying a piloted aircraft of this kind around the world. Bertrand then turned to the Swiss Federal Institute of Technology in Lausanne (EPFL), whose research director, Stefan Catsicas, was very keen on the project: the solar aircraft would be a wonderful flying laboratory, a cross-disciplinary exercise stimulating fundamental projects at the point of convergence between the school's classical disciplines, as well as transferring technologies to practical applications.

The EPFL immediately launched a feasibility study under the direction of André Borschberg, an engineer and himself a pilot and aviation enthusiast. The result was encouraging: the adventure would not be an easy one, but it was feasible. The project was officially launched on November 23, 2003.

For Bertrand Piccard, his solar airplane project took his vision of the future to a new level: more than just an end in itself, Solar Impulse would symbolize the new technologies our society must implement to save the natural resources of our planet and sustain, even improve, our quality of life. It would symbolize a mindset, an entire philosophy.

CAUTION ACADÉMIQUE

En s'associant à Bertrand Piccard dans ce projet, André Borschberg amène sa compétence indispensable d'entrepreneur, lui qui s'est toujours passionné pour les nouveaux défis et qui a déjà mis sur pied et développé plusieurs sociétés. Solar Impulse SA est officiellement fondée le 29 juin 2004 par Bertrand Piccard, André Borschberg, Brian Jones et Luiggino Torrigiani. Suivent alors la mise en place d'un noyau technique et les premiers accords de partenariats scientifiques.

Sous la présidence de Patrick Aebischer, l'Ecole Polytechnique Fédérale de Lausanne (EPFL) apporte au projet ses compétences en modélisation, structures ultralégères, application des composites et des polymères, gestion de la chaîne énergétique et développement de nouvelles interfaces homme-machine. Douze laboratoires sont impliqués avec le support d'un expert externe, Peter Frei, ingénieur en aéronautique. Premières conclusions des chercheurs : pour pouvoir passer la nuit en vol, l'avion devra avoir 63 mètres d'envergure, peser moins de 1600 kg et ne pas consommer plus d'énergie sur 24 heures qu'un petit scooter !

Dassault Aviation offre ses services comme avionneur conseil pour la révision du design et comme expert du programme de développement, en particulier dans les domaines de l'aéroélasticité et des commandes de vol, de la sécurité et de la fiabilité des systèmes.

L'Agence Spatiale Européenne (ESA) deviendra quant à elle un Partenaire Institutionnel.

AKADEMISCHE RÜCKENDECKUNG

André Borschberg, der sich stets für neue Herausforderungen begeistert und bereits mehrere Unternehmen erfolgreich auf die Beine gestellt hat, bringt in die Zusammenarbeit mit Bertrand Piccard die nötige unternehmerische Kompetenz ein. Am 29. Juni 2004 gründen Bertrand Piccard, André Borschberg, Brian Jones und Luiggino Torrigiani offiziell die Solar Impulse SA. Danach bauen sie ein technisches Kernteam auf und schliessen die ersten Partnerschaftsverträge ab.

Unter ihrem Präsidenten Patrick Aebischer bringt die Eidgenössische Technische Hochschule Lausanne (EPFL) ihre Kompetenzen in den Bereichen von Modellierung, ultraleichten Strukturen, Anwendung von Verbundwerkstoffen und Kunststoffen, Energiemanagement und Entwicklung neuer Mensch-Maschine-Schnittstellen ein. Zwölf Labors sind beteiligt, unterstützt vom externen Experten Peter Frei, Luftfahrtingenieur. Erstes Fazit der Forscher: Für den Nachtflug braucht das Flugzeug eine Spannweite von 63 Metern, muss weniger als 1600 kg wiegen und darf in 24 Stunden nicht mehr Energie verbrauchen als ein kleiner Motorroller!

Dassault Aviation arbeitet als beratendes Flugzeugbauunternehmen mit bei der Überprüfung des Flugzeug-Designs und als Experte für das Entwicklungsprogramm, insbesondere in den Bereichen Aeroelastizität und Flugzeugsteuerung sowie Systemsicherheit und -zuverlässigkeit.

Die Europäische Weltraumorganisation (ESA) beteiligt sich als Institutioneller Partner.

ACADEMIC ACKNOWLEDGEMENT

On teaming up with Bertrand Piccard, André Borschberg brought in his vital entrepreneurial skills. Always up for new challenges, he had already founded and developed several companies. Solar Impulse SA was officially established on June 29, 2004 by Bertrand Piccard, André Borschberg, Brian Jones and Luiggino Torrigiani. The next task was to put together a core technical team and negotiate the first scientific partnership agreements.

Under its president Patrick Aebischer, the EPFL brought to the project its expertise in modeling, ultralight structures, composite and polymer applications, energy chain management, and the development of new human-machine interfaces. Twelve laboratories were involved, aided by an external expert, aeronautical engineer Peter Frei. The researchers' initial findings were that, to remain airborne through the night, the aircraft would need to have a 63 meter wingspan, weigh less than 1600 kg and consume no more energy over 24 hours than a small scooter!

Dassault Aviation offered its services as aviation adviser to review the design and as an expert for the development program, especially in the fields of aero elasticity, flight controls, safety and system reliability.

The European Space Agency (ESA) also signed up as an Institutional Partner.

PARI SUR L'INNOVATION

La vision et la structure sont en place. Reste à trouver ceux qui y croient suffisamment pour les concrétiser. Les contacts privilégiés de Bertrand Piccard avec plusieurs entreprises permettent d'apporter les premières sources de financement. Sensibles aux problèmes énergétiques et environnementaux, convaincus des nombreux intérêts du projet à long terme et de la force de son symbole, les premiers partenaires vont apporter à Solar Impulse les fonds indispensables à son démarrage.

En été 2004, Semper, société genevoise de gestion de fortune, devient le premier supporter officiel. Eric Freymond a été séduit par le côté révolutionnaire du projet, éthique et humaniste.

L'arrivée de Solvay, grand groupe industriel belge, en octobre 2004 comme premier Partenaire Principal, permet d'engager les premiers ingénieurs. La contribution de Solvay portera sur la recherche de matériaux innovants et de solutions techniques, la modélisation et la simulation de leur comportement dans des environnements extrêmes, leur évaluation technique et la conduite de séries de tests.

Les relations étroites entre le groupe belge et la famille Piccard remontent à trois générations, lorsqu'Auguste Piccard, le grand-père de Bertrand, participait avec Albert Einstein et Marie Curie aux « Conférences Solvay » sur la chimie et la physique, fondées en 1912 par l'industriel belge Ernest Solvay.

KURS AUF INNOVATION

Idee und Struktur stehen. Nun braucht es noch Leute, die daran glauben und bei der Konkretisierung helfen. Die hervorragenden Kontakte von Bertrand Piccard zu mehreren Unternehmen sichern die ersten Finanzierungsquellen. Diese ersten Partner sind sich der Energie- und Umweltproblematik bewusst und von der langfristigen Bedeutung und Symbolkraft des Projekts überzeugt. Sie stellen Solar Impulse das erforderliche Startkapital zur Verfügung.

Im Sommer 2004 wird Semper, eine Genfer Vermögensverwaltungsfirma, erster offizieller Supporter. Ihr Präsident Eric Freymond ist angetan von der revolutionären, ethischen und humanistischen Art des Projekts.

Der belgische Industriekonzern Solvay stösst im Oktober 2004 als erster Hauptpartner zum Projekt und ermöglicht die Einstellung der ersten Ingenieure. Der Beitrag von Solvay konzentriert sich auf die Forschung nach innovativen Werkstoffen und technischen Lösungen, die Modellierung und Simulation ihres Verhaltens unter extremen Bedingungen sowie deren technische Evaluation und die Durchführung von Testserien.

Die enge Beziehung zwischen der belgischen Gruppe und der Familie Piccard reicht drei Generationen zurück. Damals nahm Auguste Piccard, Bertrands Grossvater, mit Albert Einstein und Marie Curie an den 1912 vom belgischen Unternehmer Ernest Solvay gegründeten « Conférences Solvay » über Chemie und Physik teil.

BETTING ON INNOVATION

The vision and the structure were now in place. All that remained was to find those with enough conviction to turn them into reality. Bertrand Piccard's close contacts with several companies provided the primary sources of funding. Sensitive to energy and environmental problems, convinced of the many long-term benefits of the project and its symbolic impact, Solar Impulse's first partners provided the funding to get the project up and running.

In summer 2004, Geneva-based asset management company Semper became the first Official Supporter, Eric Freymond having been won over by the revolutionary nature of this ethical project of benefit to humanity.

With the arrival of the major Belgian industrial group Solvay in October 2004 as the first Main Partner, the first engineers could be hired. Solvay's contribution would focus on finding innovative materials and technical solutions, modeling and simulating their behavior in extreme environments, evaluating their technical characteristics and conducting a series of tests.

The close relations between the Belgian group and the Piccard family go back three generations, to the time when Bertrand's grandfather, Auguste Piccard, took part along with Albert Einstein and Marie Curie in the "Solvay Conferences" in chemistry and physics, set up in 1912 by Belgian industrialist Ernest Solvay.

DESIGN AU ZÉNITH

André Borschberg définit la stratégie de construction de l'avion et s'attelle à mettre sur pied et motiver une équipe d'ingénieurs venant d'horizons très variés. Il décide de développer les compétences clés en interne et établit parallèlement un réseau de partenaires techniques, d'experts et de spécialistes. Ce sont aujourd'hui plus de cinquante sociétés qui apportent leur savoir-faire au projet.

Le partenariat conclu par Bertrand avec Altran arrive au meilleur moment. Ce spécialiste du conseil en ingénierie apporte à Solar Impulse une expertise pluri-disciplinaire (management de projet, gestion de risque) et multisectorielle (aéronautique, gestion de l'énergie, simulation et modélisation).

Un bureau technique est ouvert près de Zurich et le design de l'avion commence. Début 2004, des études plus approfondies conduisent à la première version du prototype, déjà sensiblement différente des images de synthèse présentées lors de l'annonce du projet. Les moteurs sont placés devant le bord d'attaque de l'aile, afin d'équilibrer la force de propulsion de l'avion et les forces aérodynamiques. Cette version présente un cockpit-nacelle suspendu sous l'aile. Finalement, une troisième version naît du travail des ingénieurs qui optent pour un premier prototype à cabine non pressurisée. Il a fallu de l'audace et de la confiance dans les projections pour décider de figer le design et lancer la construction.

DESIGN IM ZENIT

André Borschberg definiert die Strategie für den Bau des Flugzeugs und stellt ein Team von Ingenieuren aus unterschiedlichsten Sparten zusammen. Er beschliesst, die Schlüsselkompetenzen intern zu entwickeln und baut parallel dazu ein Netzwerk aus technischen Partnern, Experten und Spezialisten auf. Heute steuern mehr als fünfzig Unternehmen ihr Know-how zum Projekt bei.

Die von Bertrand Piccard mit Altran initiierte Partnerschaft kommt zum perfekten Zeitpunkt. Als Engineering-Partner stellt Altran Solar Impulse ein vielfältiges (Projekt- und Risikomanagement) und multisektorales (Luftfahrt, Energiemanagement, Simulation und Modellierung) Expertenwissen zur Verfügung.

In der Nähe von Zürich wird ein technisches Büro eröffnet und die Planung des Flugzeugs beginnt. Anfang 2004 münden vertiefte Studien in eine erste Version des Prototyps, der sich bereits stark von den bei der Lancierung des Projekts präsentierten Zeichnungen unterscheidet. Die Motoren sind vor die Flügelvorderkante gelegt, um ein Gleichgewicht zwischen Antrieb und Aerodynamik zu schaffen, und es gibt eine unter dem Flügel abgesetzte Cockpitkanzel. Bei der dritten Version des Prototyps entscheiden sich die Ingenieure schliesslich für eine Kabine ohne Druckausgleich. Mit viel Mut und Vertrauen in die Pläne wird das Design endgültig festgelegt und der Bau des Flugzeugs in Angriff genommen.

FOCUS ON DESIGN

André Borschberg conceived the strategy for building the aircraft and set about establishing and motivating a team of engineers from a wide range of backgrounds. He decided to develop the key skills in-house, while establishing in parallel a network of technical partners, experts and specialists. Today more than fifty companies contribute their expertise to the project.

The partnership Bertrand formed with Altran came just at the right time. This specialist engineering consultancy brought to Solar Impulse expertise that was both multidisciplinary (project management, risk management) and multisectoral (aerospace, energy management, simulation and modeling).

A technical office was opened close to Zurich and work began on designing the aircraft. In early 2004, more detailed studies led to the first version of the prototype. This differed significantly from the basic images shown when the project was first announced, with the engines now placed in front of the leading edge of the wing to balance the aircraft's propulsive force and aerodynamic forces. This second version had a cockpit-pod suspended beneath the wing. Finally the engineers came up with a third version, opting for an initial prototype with an unpressurized cabin. It took boldness and confidence in the projections to decide to freeze design work and begin construction.

ESPRIT PIONNIER ET PASSION DE LA PERFORMANCE

Rejoignant le projet en mai 2006 comme deuxième Partenaire Principal, Omega met les forces d'une marque mondialement reconnue à la disposition de ce projet. Nick Hayek, directeur général de Swatch Group, illustre l'esprit de pionnier de sa société lorsqu'il déclare à Bertrand : « Je ne suis pas sûr que ton projet soit réalisable, mais je suis sûr de vouloir être avec toi pour essayer de le réaliser ! » Pour Nicolas Hayek, président de Swatch Group, visionnaire et pragmatique, « la Suisse offre le meilleur know-how et les meilleures possibilités de gagner le challenge. C'est pourquoi nous avons immédiatement aidé Piccard, technologiquement et avec de l'argent. »

En mars 2007, un accord avec Deutsche Bank est officialisé. Pour Solar Impulse c'est une étape importante dans son intention de tisser des liens étroits entre l'économie et l'écologie. Avec ce troisième Partenaire Principal, réputé pour sa vision à long terme, un cap décisif est franchi dans le financement du projet. Deutsche Bank offre à Solar Impulse sa longue expérience en management durable comme en responsabilité sociétale des entreprises (RSE). La détermination de Josef Ackermann, président de son directoire, est sans équivoque : « Deutsche Bank, tout comme Solar Impulse, est fortement engagée dans les domaines de l'innovation, du développement durable et de la recherche de la performance. Notre responsabilité vis-à-vis de notre environnement et de la société civile est une priorité essentielle de notre philosophie. »

PIONIERGEIST UND LEISTUNG AUS LEIDENSCHAFT

Als zweiter Hauptpartner stellt Omega seit Mai 2006 die Stärke seiner weltweit bekannten Marke in den Dienst des Projekts. Die Unternehmensleitung teilt die Werte und das Engagement von Solar Impulse zugunsten der Umwelt. Nick Hayek, Generaldirektor der Swatch Group, illustrierte dies mit seiner Aussage gegenüber Bertrand Piccard : « Ich bin nicht sicher, ob dein Projekt realisierbar ist. Ich bin aber sicher, dass ich gemeinsam mit dir versuchen will, es zu realisieren. » Nicolas Hayek, Präsident der Swatch Group, meinte ebenso visionär wie pragmatisch, dass « die Schweiz über das beste Know-how und die besten Möglichkeiten verfügt, diese Herausforderung zu bewältigen. Darum haben wir Piccard sofort unterstützt, mit Technologie und mit Geld. »

Im März 2007 folgt die offizielle Vereinbarung mit der Deutschen Bank. Für Solar Impulse ist dies ein wichtiger Schritt im Bemühen, enge Verbindungen zwischen Wirtschaft und Ökologie zu knüpfen. Mit diesem dritten, für seine langfristigen Visionen und die Umsetzung seines Nachhaltigkeitskonzepts bekannten Hauptpartner ist eine entscheidende Schwelle bei der Projektfinanzierung erreicht. Die Deutsche Bank bringt ihre langjährige Erfahrung im nachhaltigen Management und der Corporate Social Responsability (CSR) in das Projekt ein. Josef Ackermann, Präsident des Vorstands, stellt klar : « Die Deutsche Bank und Solar Impulse engagieren sich stark in der Innovation, der nachhaltigen Entwicklung und im Streben nach Leistung. Unsere Verantwortung gegenüber Umwelt und Gesellschaft hat einen hohen Stellenwert in unserer Philosophie. »

PIONEERING SPIRIT AND A PASSION TO PERFORM

Joining the project in May 2006 as second Main Partner, Omega brought the clout of a globally recognized brand. Swatch Group CEO Nick Hayek showed his company's pioneering spirit when he told Bertrand: "I'm not sure your project is feasible, but I'm sure I want to be with you to try and achieve it!" In the opinion of Nicolas Hayek, the visionary and pragmatic Chairman of the Swatch Group, "Switzerland offers the best know-how and best chances of meeting the challenge. That's why we immediately came to Piccard's aid with technology and cash."

In March 2007 an agreement was signed with Deutsche Bank, an important step for Solar Impulse in its desire to forge close links between business and ecology. With this third Main Partner, renowned for its long-term vision, a decisive step was taken in financing the project. Deutsche Bank provides Solar Impulse with its long experience in sustainable management and corporate social responsibility (CSR). Chairman of the Management Board Josef Ackermann is unequivocal in his determination: "Deutsche Bank, like Solar Impulse, is heavily committed to innovation, sustainable development and the search for performance. Our responsibility towards our environment and to civil society is a key priority of our philosophy."

De la stratosphère aux abysses,
trois générations de pionniers engagés
dans l'exploration, l'aventure scientifique
et la protection de l'environnement

Von der Stratosphäre zu den Tiefseegräben
haben sich drei Generationen von Pionieren
für Forschung, wissenschaftliches
Abenteuer und Umweltschutz engagiert

From the stratosphere to the depths
of the oceans, three generations of pioneers
committed to exploration, scientific
adventure and environmental protection

Faire d'une vision une réalité : voler de nuit comme de jour avec le soleil, sans aucun carburant, pour donner une impulsion aux énergies renouvelables et aux économies d'énergie

Von der Vision zur Wirklichkeit: Tag und Nacht mit der Sonne fliegen, ohne einen Tropfen Treibstoff, als Impuls für erneuerbare Energien und Energieeffizienz

Turning a vision into reality: flying day and night using the sun, with no fuel whatsoever, to give an impulse to renewable energy and energy saving

Après des siècles de conquête,
l'aventure consiste aujourd'hui
à développer qualité de
vie, durabilité et respect

Nach Jahrhunderten der
Eroberung liegt das Abenteuer
heute in der Entwicklung
von Lebensqualität,
Nachhaltigkeit und Respekt

After centuries of conquest,
adventure today lies in
developing quality of live,
sustainability and respect

Montrer que des sources d'énergie alternatives, alliées à de nouvelles technologies, peuvent permettre des réalisations a priori impossibles

Beweisen, dass dank neuer Technologien und alternativer Energiequellen bisher Unmögliches möglich wird

Showing that, with alternative energy sources allied to new technology, we can achieve things not thought possible before

L'esprit pionnier, les nouvelles technologies et les visions politiques peuvent changer la société et venir à bout de la dépendance aux énergies fossiles

Pioniergeist, neue Technologien und politische Visionen können die Gesellschaft verändern und sie aus ihrer Abhängigkeit von fossilen Energien befreien

A pioneering spirit, new technology and political foresight can change society and put an end to our dependency on fossil energy

L'AVION
DAS FLUGZEUG
THE AIRPLANE

L'AVION ZÉRO CARBURANT

Le 5 novembre 2007, après quatre ans de recherches, de calculs complexes et de simulations, Bertrand Piccard et André Borschberg présentent aux partenaires et aux médias le design final du premier prototype d'une envergure de 63 mètres pour une masse de 1600 kg, qui sera immatriculé HB-SIA.

Bien que conçu avec les moyens les plus sophistiqués, le HB-SIA est un avion prototype « brut ». Son plafond opérationnel est volontairement limité à 8700 mètres (27900 ft) pour éviter les inconvénients d'une cabine pressurisée, économiser l'énergie et réduire le tableau de bord à l'essentiel. Sur son aile et son stabilisateur horizontal, 11 628 cellules photovoltaïques capteront l'énergie solaire transmise sous forme d'électricité aux quatre moteurs et aux batteries lithium-polymère qui la stockeront et la restitueront la nuit. Le défi est audacieux, car chaque mètre carré de panneau solaire ne peut fournir au maximum que 28 W en continu et en moyenne sur 24 heures – l'équivalent d'une ampoule électrique.

C'est avec si peu d'énergie que Solar Impulse ambitionne de voler jour et nuit. La solution ne peut venir que de l'optimisation indispensable entre consommation d'énergie, légèreté, performance et contrôlabilité, condition sine qua non pour envisager le vol de nuit, et ensuite le tour du monde.

NULL-TREIBSTOFF-FLUGZEUG

Am 5. November 2007, nach vier Jahren intensiver Forschungsarbeit, komplexer Berechnungen und Simulationen, stellen Bertrand Piccard und André Borschberg Partnern und Medien das endgültige Design des ersten Prototyps mit einer Spannweite von 63 Metern und einer Gesamtmasse von 1600 kg vor; er erhält die Immatrikulation HB-SIA.

Obwohl mit ausgefeilten Mitteln geplant, ist die HB-SIA noch ein «roher» Flugzeugprototyp. Seine Reichweite wurde bewusst auf 8700 Höhenmeter (27900 ft) begrenzt, um auf eine Kabine mit Druckausgleich verzichten zu können sowie Energieverbrauch und Instrumentenbrett auf das Nötigste zu begrenzen. Auf seinem Flügel und Höhenruder fangen 11 628 Solarzellen die Sonnenstrahlung ein und leiten sie als Elektrizität zu den Motoren und zur Speicherung in die Lithium-Polymer-Batterien weiter, die sie in der Nacht wieder abgeben. Eine schwierige Aufgabe, weil jeder Quadratmeter der Solarpaneele in 24 Stunden durchschnittlich nur 28 Watt Leistung liefert – gerade so viel wie eine Glühbirne.

Mit so wenig Energie will Solar Impulse Tag und Nacht fliegen, indem es diese möglichst intelligent nutzt. Die Optimierung von Energieverbrauch, geringem Gewicht, Leistung und Steuerbarkeit ist dabei der wichtigste Punkt und Grundvoraussetzung für die Nachtflüge und schliesslich die Weltumrundung.

THE ZERO FUEL AIRPLANE

On November 5, 2007, after four years of research involving complex calculations and simulations, Bertrand Piccard and André Borschberg presented the project's partners and the media with the final design for the first prototype. It had a wingspan of 63 meters, weighed 1,600 kg, and would be registered as HB-SIA.

Although designed using the most sophisticated means, the HB-SIA was a "crude" prototype aircraft. Its operational ceiling was deliberately limited to 8700 meters (27,900 ft), to avoid the drawbacks of a pressurized cabin, save energy and reduce the control panel to the essential minimum. It had 11,628 photovoltaic cells on its wing and horizontal stabilizer to capture solar energy. This would be transmitted as electricity to the four engines and to the lithium polymer batteries that would store it by day and release it at night. It was a formidable challenge, because each square meter of solar panel could only produce a maximum average of 28 watts – the equivalent of a light bulb – in 24 hours.

It was with this minimal energy that Solar Impulse planned to fly day and night. The only solution was to optimize between energy consumption, lightness, performance and controllability, all three being essential for a night flight, and following that a round-the-world flight.

HAUTE TECHNOLOGIE ET HAUTES EXIGENCES

La construction du prototype résulte d'une intense collaboration entre l'équipe multidisciplinaire de Solar Impulse, chargée du design de l'avion, et les différents partenaires, fournisseurs de matériaux et fabricants des composants. Le dynamisme et l'expérience de chef d'entreprise d'André Borschberg sont des atouts pour rassembler et coordonner tous les intervenants. Ce n'est qu'en confrontant les exigences et en explorant le potentiel de chacun que des solutions nouvelles sont apparues. L'addition des forces de plus de cinquante collaborateurs épaulés par une centaine d'experts et de conseillers permet de repousser les limites de la connaissance et de réaliser de réels progrès technologiques.

Dès septembre 2008, après l'assemblage du cockpit et du fuselage, la construction de l'aile peut commencer. Pièces maîtresses, les longerons centraux, réalisés par le chantier naval Décision S.A., poutres de section rectangulaire en fibre de carbone et sandwich nid d'abeille sont mises bout à bout pour constituer la colonne vertébrale de l'aile. Son envergure est immense: 63 mètres, équivalente à celle d'un Airbus A340. 120 nervures en fibre de carbone réparties tous les 50 cm viendront lui donner son profil aérodynamique. L'intrados – sa surface inférieure – sera recouvert d'un film aussi fin que résistant, et l'extrados – sa surface supérieure – recevra les panneaux où les cellules solaires sont encapsulées.

SPITZENTECHNOLOGIEN UND HOHE ERWARTUNGEN

Die Konstruktion des Prototyps erfolgt in intensiver Zusammenarbeit zwischen dem multidisziplinären, für das Flugzeugdesign zuständige Solar Impulse Team und den unterschiedlichen Partnern, Werkstofflieferanten und Komponentenherstellern. Dank André Borschbergs Dynamik und Erfahrung als Unternehmer laufen die Beiträge aller Beteiligten koordiniert zusammen. Sie alle stellen sich den Anforderungen und schöpfen ihre Potenziale aus, um neue Lösungen zu entwickeln. Die vereinten Kräfte der über fünfzig Mitarbeitenden und mehr als einhundert Fachleute und Berater ermöglichen es, bestehende Wissensgrenzen zu überschreiten und echte technologische Fortschritte zu erzielen.

Ab September 2008 kann nach der Montage des Cockpits und des Hecks mit dem Bau des Flügels begonnen werden. Herzstück ist dabei der von der Werft Décision S.A. gebaute Flügelholm. Er wird aus rechteckigen Sandwichplatten aus Kohlefasern mit wabenförmigem Kernmaterial zusammengefügt und bildet die «Wirbelsäule» des Flügels. Seine Spannweite ist riesig: 63 Meter – wie bei einem Airbus A340. 120 Kohlefaserrippen im Abstand von je 50 cm verleihen ihm sein aerodynamisches Profil. Die Flügelunterseite ist von einem feinen, widerstandsfähigen Polyestergewebe, die Oberseite mit Solarpaneelen aus einlaminierten Solarzellen überzogen.

HIGH TECHNOLOGY AND HIGH DEMANDS

Building the prototype was an intense collaborative effort between the multidisciplinary Solar Impulse team, responsible for designing the aircraft, and the various partners, materials suppliers and component manufacturers. Entrepreneur André Borschberg's dynamism and experience were vital in bringing together and coordinating the various stakeholders. Only by tackling the requirements head-on and exploring the potential of each and every one did new solutions emerge. The combined strengths of more than fifty employees supported by a hundred or so experts and advisers made it possible to push out the boundaries of knowledge and make real technological progress.

By September 2008, they could start assembling the cockpit and fuselage and building the wing. The central wing spars were key components. These rectangular beams, made from carbon fibre and honeycomb sandwich by the Decision shipyard, were placed end to end to form the backbone of the wing. Its span is immense: 63 meters, equivalent to that of an Airbus A340. 120 carbon fibre ribs at 50 cm intervals give the wing its aerodynamic profile. The underside is covered with an ultra-fine, ultra-resistant film, and the upper wing surface carries the panels in which the solar cells are encapsulated.

ÉVALUATIONS SANS CONCESSION

Mi-février 2009, une série d'essais impressionnants met à l'épreuve le longeron de l'aile. Ils visent à éprouver sa résistance à des charges élevées et se déroulent dans un silence quasiment religieux, pour permettre à l'équipe de percevoir le moindre craquement. Chargée de 6 tonnes de plomb, la pièce en carbone de 63 mètres ploie mais résiste parfaitement. L'euphorie de l'équipe est à la mesure de son soulagement.

Le Deutsches Zentrum für Luft- und Raumfahrt (DLR) – la NASA allemande – spécialisé dans les calculs d'aéroélasticité, effectue des tests de vibrations pour évaluer les risques d'entrée en résonance de l'appareil. Le module d'élasticité se révèle moins élevé que prévu, traduisant une plus grande rigidité – ce qui est plutôt favorable.

Le groupe électrique et de propulsion fait aussi l'objet de mises à l'épreuve approfondies. Omega apporte son savoir-faire dans les secteurs de l'automation et de la propulsion hybride. Son banc d'essai permet d'optimiser toute la chaîne énergétique du prototype, dans des conditions de température allant de -40°C à +55°C. Les quatre moteurs, avec leurs hélices de 3,50 mètres de diamètre, les batteries lithium-polymère, les circuits MPPT d'optimisation et de régulation, le câblage, les commandes de puissance et surtout l'ordinateur de bord qui va gérer l'ensemble de ces composants, etc., tout est rigoureusement testé.

KOMPROMISSLOSE TESTS

Mitte Februar 2009 wird der Flügelholm einer intensiven Testserie unterzogen, die seine Widerstandsfähigkeit gegenüber hohen Belastungen nachweisen soll. Die Belastungstests laufen in fast andächtiger Stille ab, um kleinste Knackgeräusche wahrnehmen zu können. Unter der Last von 6 Tonnen Blei biegt sich das 63 Meter lange Kohlefaserelement zwar, hält aber perfekt stand. Begeisterung und Erleichterung herrschen im Team.

Das auf Aeroelastizitätsberechnungen spezialisierte Deutsche Zentrum für Luft- und Raumfahrt (DLR), die deutsche NASA, führt Schwingungstests durch, um die Resonanzrisiken des Flugzeugs zu untersuchen. Das Elastizitätsmodul ist etwas niedriger als vorgesehen, was sich in einer grösseren Steifigkeit des Flugzeugkörpers ausdrückt – ein durchaus positiver Aspekt.

Auch sämtliche Elektrik- und Antriebsgruppen werden vertieft untersucht. Omega bringt sein Know-how in den Bereichen Automation und Hybridantriebe ein. Sein Anlagenprüfstand ermöglicht die Optimierung der gesamten Energiekette des Prototyps bei Temperaturbedingungen von -40°C bis +55°C. Die vier Motoren mit ihren Propellern mit einem Durchmesser von 3,50 Metern, die Lithium-Polymer-Batterien, die MPPT-Schaltkreise zur Optimierung und Regelung, die Verkabelung, die Leistungssteuerung und vor allem der Bordcomputer, der alle Komponenten steuert, werden strengen Tests unterzogen.

UNCOMPROMISING EVALUATIONS

In mid-February 2009, an impressive series of trials were held to test the resistance of the wing spars to high loads. These took place in monastic-like silence to allow the team to pick up the slightest sound. Weighted with 6 tons of lead, the 63 meters carbon spar bent, but resisted perfectly. The team's euphoria was as great as its relief.

The DLR, the German equivalent of NASA, specializing in aero elasticity calculations, carried out vibration tests to assess the plane's resonance risk. The elastic modulus turned out lower than expected, reflecting greater stiffness – which is generally a positive characteristic.

The electrical and propulsion chain was also thoroughly tested. Here Omega brought its expertise in automation and hybrid propulsion to bear. Using its test bench, the entire energy chain of the prototype was optimized in temperature conditions ranging from -40°C to +55°C. The four engines, with their 3.50 meters diameter propellers, the lithium polymer batteries, the MPPT optimization and control circuits, cabling, power controls and, above all, the on-board computer that would manage all of these components, ...everything was rigorously tested.

VOLS VIRTUELS

Des vols virtuels, grâce à un logiciel imaginé par Altran, confortent Bertrand et André dans l'idée que leur rêve de pionniers peut devenir réalité. Les nombreuses stratégies, simulées dans des conditions météorologiques réelles, apportent une foison d'enseignements. La simulation démontre comment l'avion peut réussir à voler de nuit, en emmagasinant dans ses batteries suffisamment d'énergie solaire pendant la journée.

En mai 2008, le simulateur de vol développé avec Dassault et l'EPFL met pour la première fois les deux aviateurs en situation de piloter le HB-SIA durant 25 heures, équipés et harnachés comme ils le seront lors des vols réels : casque, harnais de sécurité, parachute, masque à oxygène, avec des vivres et les accessoires adaptés à leurs besoins naturels. Disposés sur 210° autour du cockpit, cinq écrans de projection donnent au pilote l'impression de se sentir en situation réelle.

La préparation physique des pilotes est aussi une préoccupation de premier plan. Lors des différentes missions, ils devront faire preuve de facultés d'adaptation et de résistance mentale hors du commun, confrontés à des conditions de vol extrêmes. Car si l'avion doit pouvoir voler de façon perpétuelle, l'être humain restera le maillon faible !

VIRTUELLE FLÜGE

Die virtuellen Flüge mit einem von Altran entwickelten Simulationsprogramm bestärken Bertrand und André darin, dass ihr Pioniertraum tatsächlich Wirklichkeit werden kann. Aus zahlreichen, unter realen Wetterbedingungen simulierten Strategien resultiert eine Fülle wichtiger Erkenntnisse. Die Simulation beweist, wie der Nachtflug mit dem Solarflugzeug möglich ist, wenn im Tagesverlauf genügend Solarenergie in den Batterien gespeichert werden kann.

Im Mai 2008 können die beiden Piloten in dem mit Dassault und der EPFL entwickelten Flugsimulator den Prototypen HB-SIA erstmals 25 Stunden lang steuern, ausgerüstet wie bei einem echten Flug: Helm, Sicherheitsgurte, Fallschirm, Sauerstoffmaske, Verpflegung und Utensilien für die natürlichen Bedürfnisse. Fünf Bildschirme vermitteln den Piloten einen sehr realitätsnahen 210° Panoramablick rund um das Cockpit.

Wesentlich ist auch die körperliche Vorbereitung der Piloten. Während der Flüge müssen sie unter extremen Flugbedingungen über eine ausserordentlich grosse Anpassungsfähigkeit und mentale Widerstandsfähigkeit verfügen. Denn bei einem fast immerwährenden Flug bleibt der Mensch das schwächste Glied!

VIRTUAL FLIGHTS

Virtual flights, using software designed by Altran, proved to Bertrand and André that their pioneering dream could come true. From the many strategies tested simulating real life weather conditions, a host of lessons were learnt. The simulation showed how the aircraft could successfully fly at night by storing enough solar energy in its batteries during daylight hours.

In May 2008, the flight simulator developed with Dassault and the EPFL enabled the two airmen to pilot the HB-SIA for the first time during 25 hours, equipped and harnessed as they would be for the actual flight, with helmet, safety harness, parachute, oxygen mask, and with supplies and accessories for their physical needs. Five projection screens, set 210 degrees around the cockpit, gave the pilot the sensation of real flight.

The pilots' physical preparation was also a major concern. In the extreme flight conditions of the various missions, they had to show exceptional adaptability and mental toughness. If the aircraft had to be capable of perpetual flight, the human factor would be the weakest link!

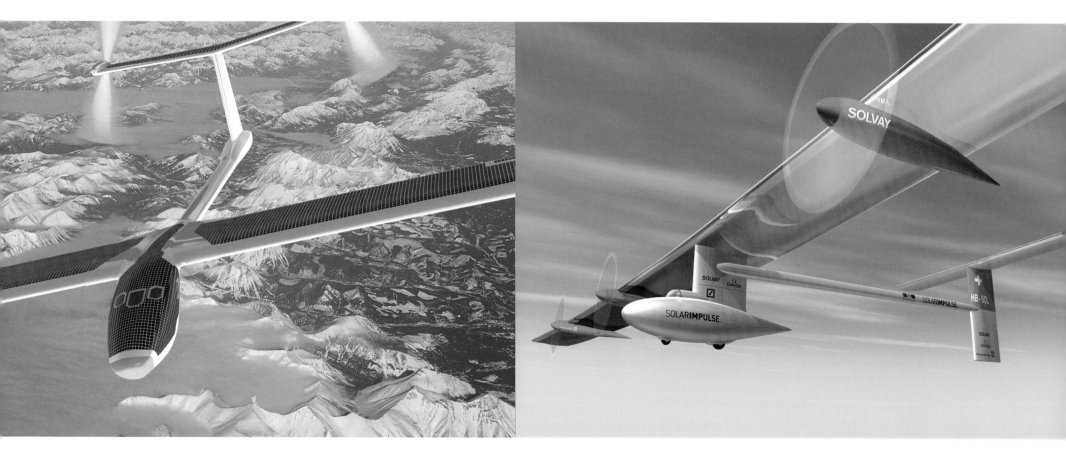

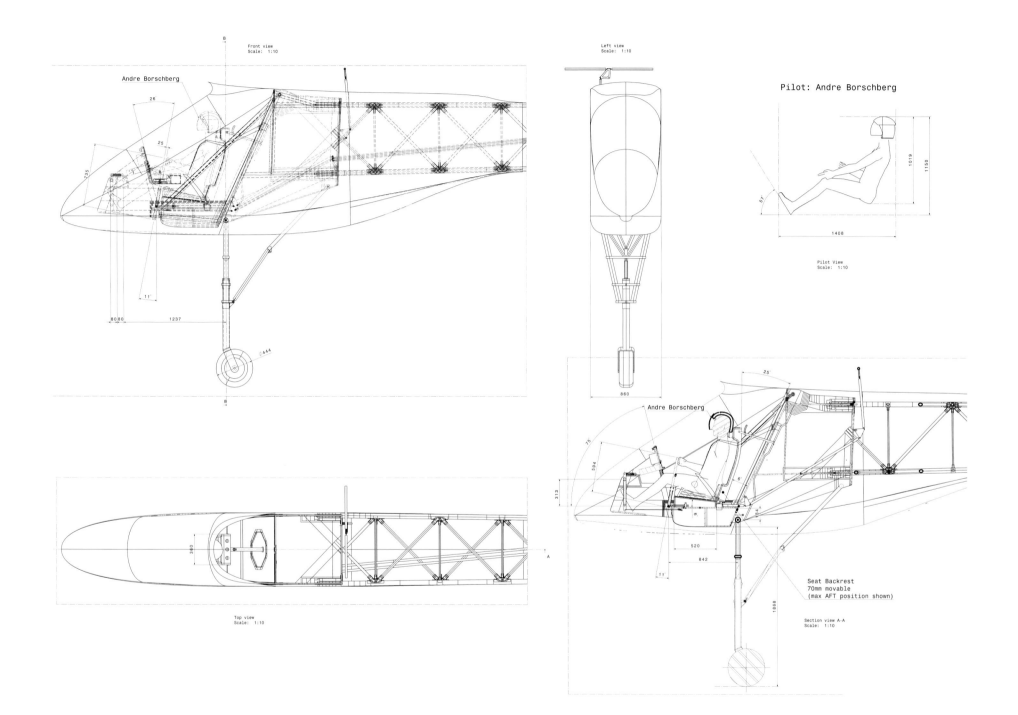

Front view
Scale: 1:10

Andre Borschberg

Left view
Scale: 1:10

Pilot: Andre Borschberg

Pilot View
Scale: 1:10

Andre Borschberg

Seat Backrest
70mm movable
(max AFT position shown)

Top view
Scale: 1:10

Section view A-A
Scale: 1:10

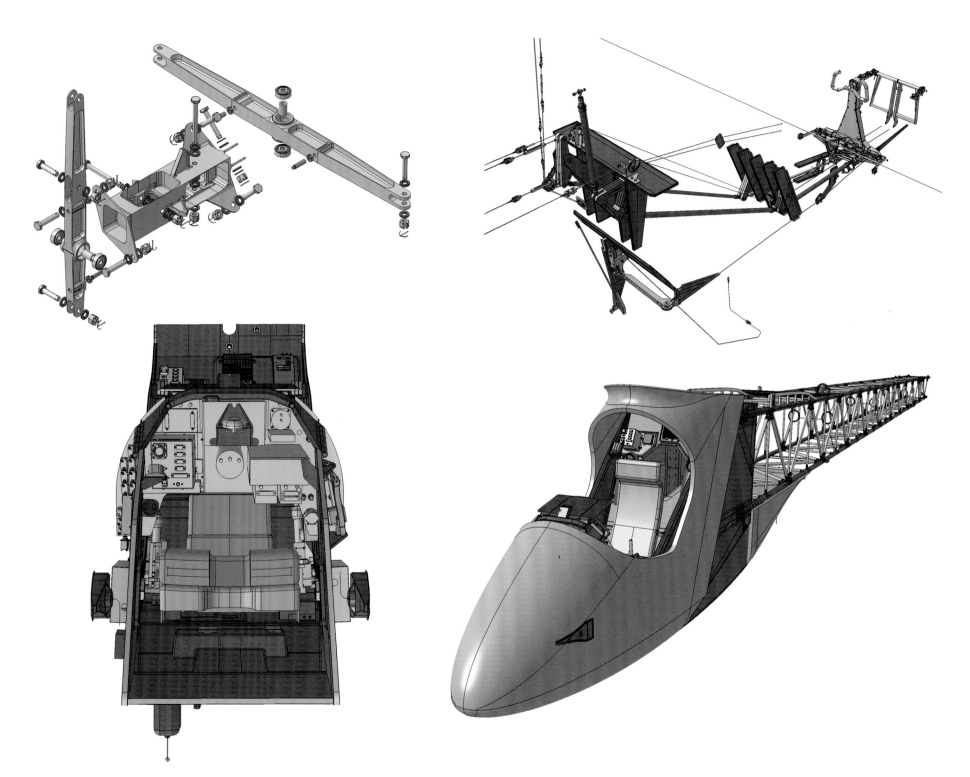

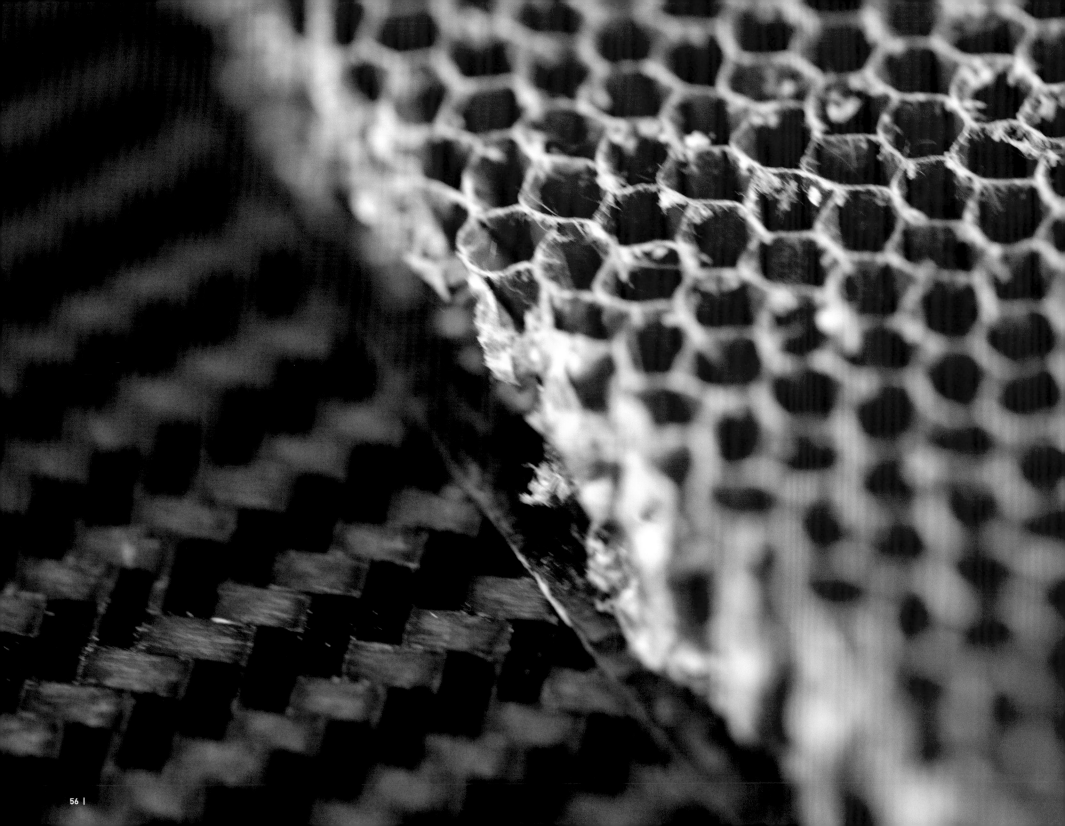

Intégrer les contraintes de poids aux impératifs
de résistance pour être hyperléger et ultrarigide

Gewichts- und Festigkeitsanforderungen unter einen
Hut bringen, um extrem leicht und ultrastarr zu bleiben

Combining weight constraints with the need for
strength in order to be hyperlight and ultrarigid

De la conception à la réalisation,
70 collaborateurs, 80 partenaires
et 200 conseillers ou fournisseurs

Von der Planung bis zur Umsetzung,
70 Mitarbeitende, 80 Partner sowie
200 Berater und Lieferanten

From design to construction,
70 team members, 80 partners
and 200 advisers or suppliers

Pendant les tests de résistance, tout ce
qui ne casse pas est peut-être trop lourd...

Was bei den Widerstandsfähigkeitstests
nicht bricht, ist möglicherweise zu schwer...

In the resistance tests, anything that
didn't break was perhaps too heavy...

Des caractéristiques de construction
et d'aérodynamisme jamais osées
jusqu'ici, qui ouvrent un domaine de
vol encore inexploré

Völlig neuartige Konstruktions-
und Aerodynamikeigenschaften öffnen
die Tür zu einem noch unerforschten
Flugleistungsbereich

Construction and aerodynamic features
never attempted before, opening up
a hitherto unexplored territory of flight

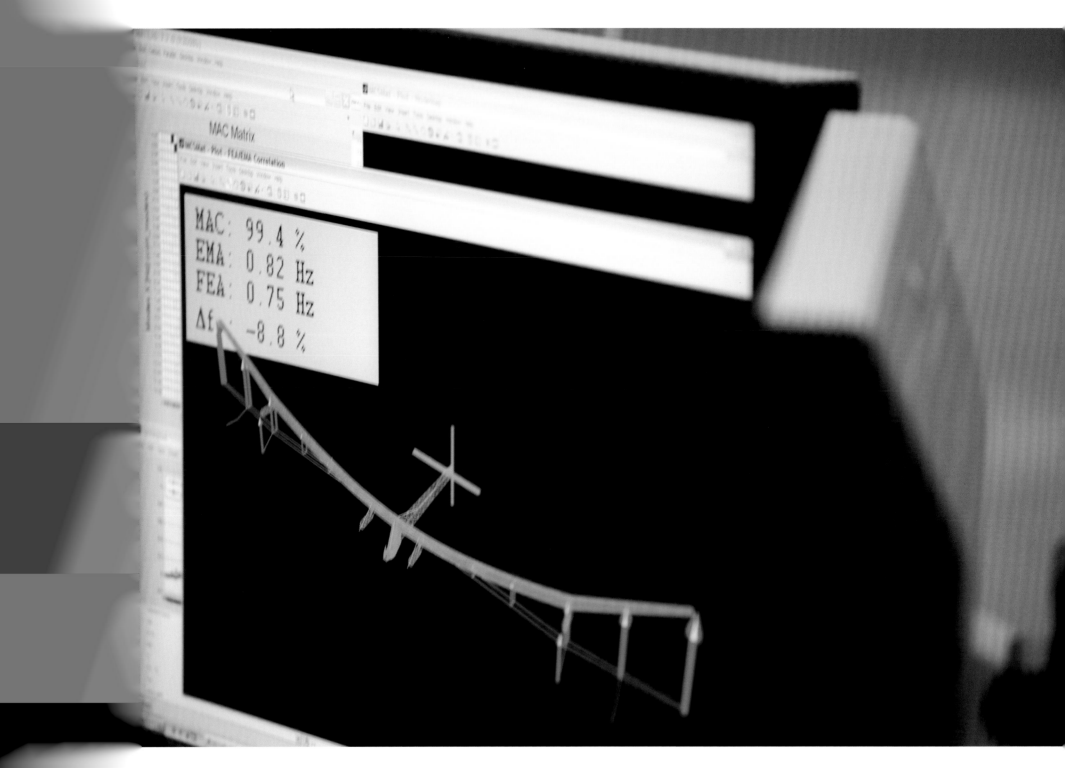

MAC: 99.4 %
EMA: 0.82 Hz
FEA: 0.75 Hz
Δf: -8.8 %

Optimiser la chaîne énergétique, des cellules solaires jusqu'aux hélices

Optimierung der Energiekette von den Solarzellen bis zu den Propellern

Optimising the energy chain, from solar cells to propellers

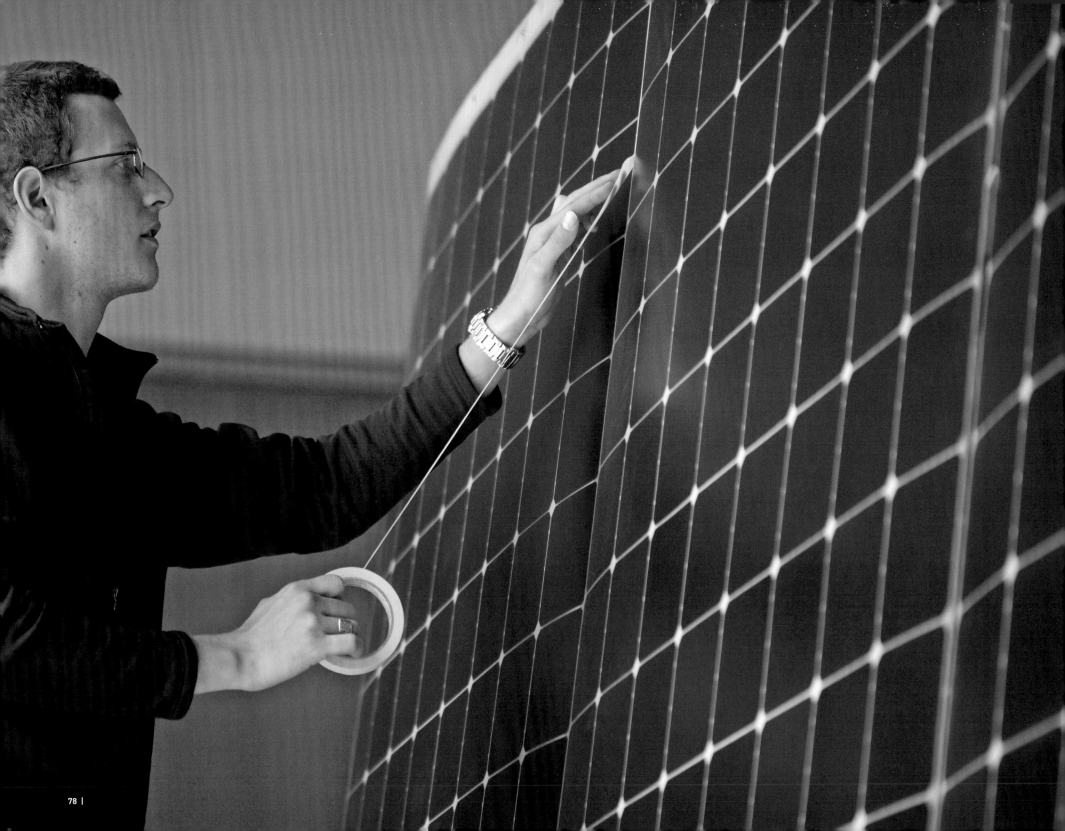

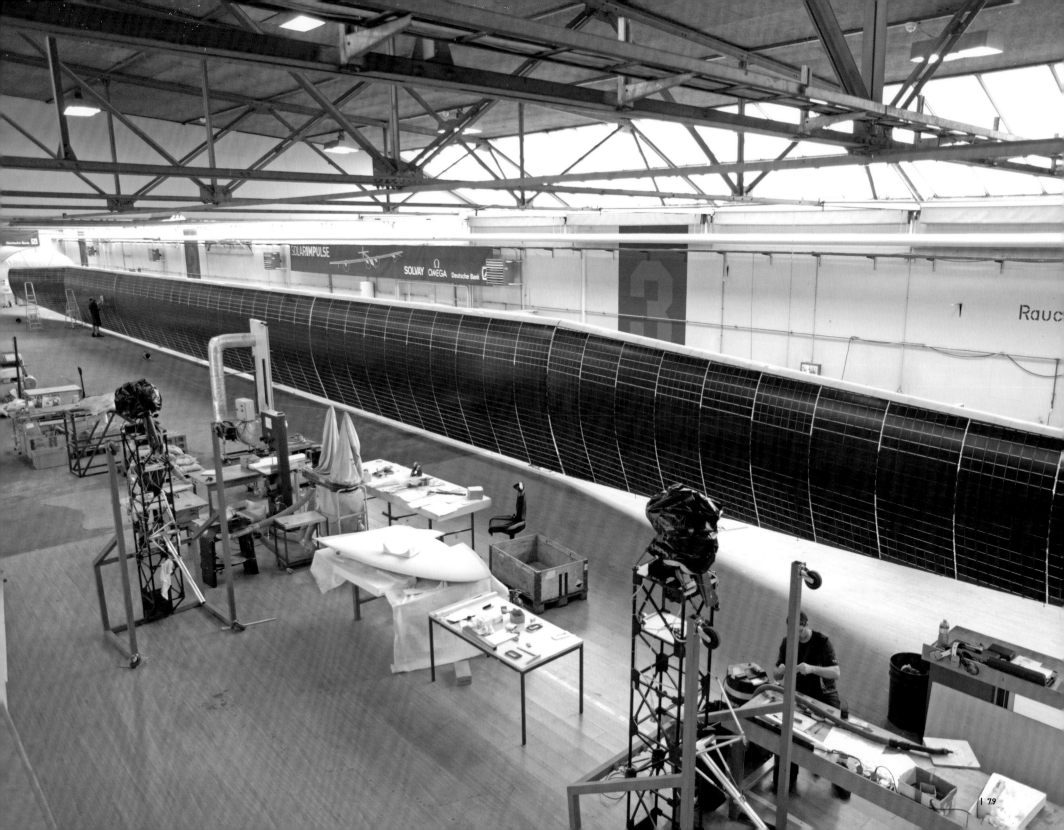

Une des contraintes majeures
du projet est le poids des batteries:
un quart du poids total de l'avion

Ein Hauptproblem ist das
Gewicht der Batterien: ein Viertel
des Flugzeuggewichts

A major constraint of the project
is battery weight: a quarter
of the total weight of the plane

Analyser les scénarios possibles,
rassembler les données et construire
les modèles pour être prêts le jour J

Mögliche Szenarien analysieren,
Daten zusammentragen und Modelle
bauen, um am Tag X bereit zu sein

Analysing possible scenarios,
gathering data and building
models to be ready on D-day

Confronté à des conditions de vol extrêmes,
l'être humain au cœur de l'aventure devra
faire preuve de facultés d'adaptation et
de résistance mentale hors du commun

Angesichts extremer Flugbedingungen
muss der Mensch inmitten des Abenteuers
eine aussergewöhnliche Anpassungsfähigkeit und mentale Stärke beweisen

Faced with extreme flight conditions,
the pilot at the heart of the venture
must show extraordinary adaptability
and strength of mind

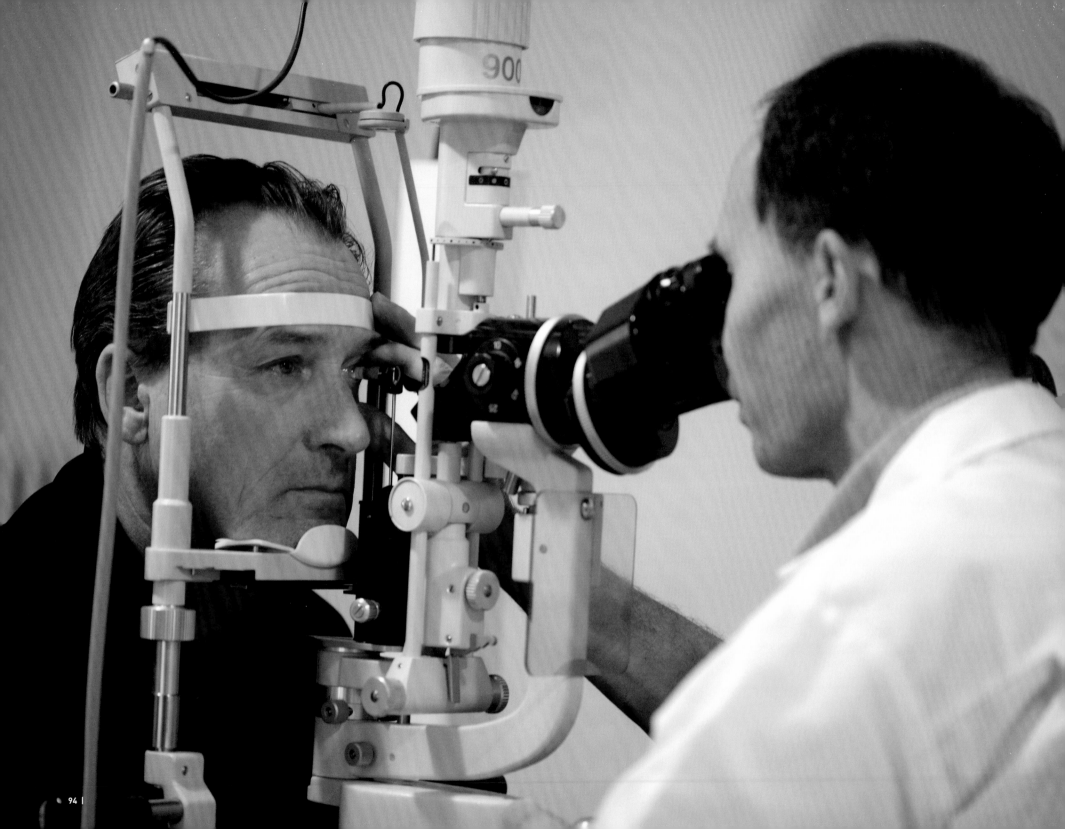

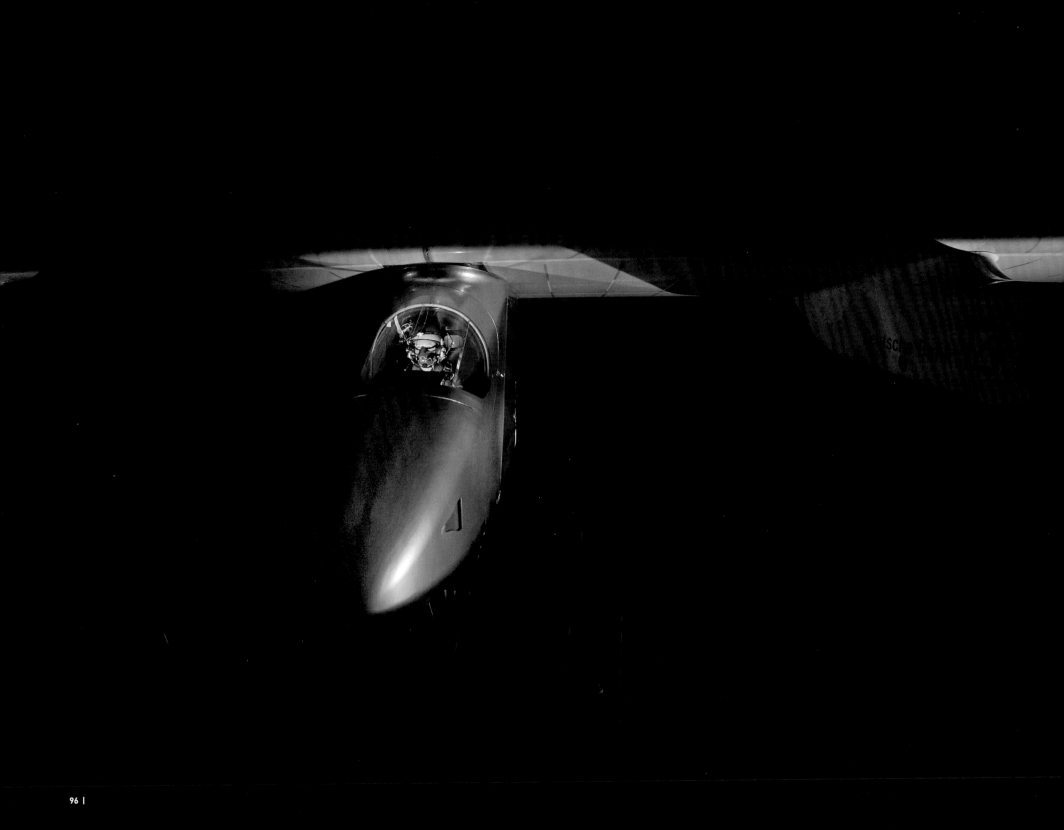

1 an d'études, 4 ans de conception, de calculs complexes et de simulations, 2 ans de construction, 1 année de tests

1 Jahr Studien, 4 Jahre Planung, komplexe Berechnungen und Simulationen, 2 Jahre Konstruktion, 1 Jahr Tests

1 year in studies, 4 years in design, complex calculations and simulations, 2 years in construction, 1 year in testing

LA MISSION
DIE MISSION
THE MISSION

SAUT DE PUCE PROMETTEUR

Les efforts conjugués du team, le courage d'entreprendre un projet innovant et la confiance des partenaires permettent de terminer la construction et de présenter le prototype au public et aux médias le 26 juin 2009. Les travaux de préparation aux vols tests sont achevés à l'automne.

Sur une idée de l'équipe de vols d'essais dirigée par l'astronaute Claude Nicollier, le cockpit comporte un instrument de bord révolutionnaire. Développé par Omega, il indiquera au pilote l'inclinaison de l'appareil au degré près et lui apportera une assistance essentielle pour la contrôlabilité en vol.

Le prototype HB-SIA effectue ses essais en novembre, jusqu'à réussir son premier « saut de puce » le 3 décembre sur l'aérodrome de Dübendorf. Il s'élève d'un mètre au-dessus de la piste et vole sur 350 mètres, démontrant une bonne réponse aux commandes. Héros de ce premier décollage : Markus Scherdel, pilote d'essais professionnel, spécialiste des avions de grande envergure. 106 ans après les frères Wright, l'histoire recommence, mais sans carburant !

VIELVERSPRECHENDER HÜPFER

Dank den vereinten Kräften des Teams, dem Mut, dieses innovative Projekt durchzuführen, und dem Vertrauen der Partner kann die Konstruktion des Flugzeugs abgeschlossen und der Prototyp am 26. Juni 2009 Öffentlichkeit und Medien vorgestellt werden. Im Herbst beginnen die Vorbereitungen für die Testflüge.

Auf Anregung des Testflugteams unter Leitung des Astronauten Claude Nicollier entwickelt Omega ein revolutionäres Bordinstrument, das dem Piloten gradgenau den Neigungswinkel des Flugzeugs anzeigt und ihn so wesentlich beim Steuern unterstützt.

Im November absolviert der Prototyp HB-SIA seine ersten Bodentests und am 3. Dezember 2009 seinen ersten «Hüpfer» auf dem Flugplatz Dübendorf. Einen Meter über der Piste fliegt er 350 Meter weit und spricht dabei gut auf die Steuerung an. Held dieses ersten Starts ist Markus Scherdel, professioneller Testpilot und Experte für Flugzeuge mit grossen Spannweiten. 106 Jahre nach den Brüdern Wright wiederholt sich die Geschichte, diesmal jedoch ohne Treibstoff.

PROMISING FLEA HOP

The combined efforts of the team, the courage to undertake an innovative project and the confidence of the partners saw construction of the aircraft through to completion, and the prototype was presented to the public and the media on June 26, 2009.

The cockpit features a revolutionary control instrument based on an idea from the flight test team headed by astronaut Claude Nicollier. Developed by Omega, it tells the pilot the bank of the plane to within one degree and provides essential assistance in maintaining controllability in flight.

The HB-SIA prototype underwent its first trials in November. On December 3 it got as far as making its first "flea hop" at Dübendorf airfield, rising one meter above the runway over a distance of 350 meters, and showing that the controls responded well. The hero of this first flight was Markus Scherdel, a professional test pilot and a specialist in large wingspan aircraft. 106 years after the Wright Brothers, history was repeated, but this time without fossil fuel!

PREMIER GRAND VOL

7 avril 2010, 10h29, aérodrome de Payerne (Suisse). Une étrange maxi-libellule, d'une envergue aussi grande que celle d'un Airbus A340 et aussi légère qu'une voiture, prend son envol, propulsée par quatre moteurs électriques de 10 CV chacun, sous les yeux de plusieurs milliers de spectateurs. Markus Scherdel effectue un vol de près d'une heure et demie, confirmant que le prototype de Solar Impulse correspond aux attentes des ingénieurs. C'est le premier aboutissement de sept ans de travail. En bordure de piste, l'émotion est à la mesure du succès, intense et fabuleuse.

Neuf autres grands vols vont suivre, pour tester le comportement de l'avion et y apporter les modifications nécessaires. Décollage de nuit, vol en altitude, étude de l'angle d'inclinaison, approche de la vitesse minimale, etc. Le prototype passe par toute une série de processus rigoureux. Markus Scherdel et André Borschberg se relaient aux commandes. Progressivement, la «crash cage» – une armature en acier conçue pour protéger le pilote en cas d'accident – est remplacée par le carénage profilé du cockpit.

L'Office Fédéral de l'Aviation Civile (OFAC), qui a suivi étape par étape toute la construction et les tests, donne son autorisation de voler de nuit.

ERSTER GROSSER FLUG

7. April 2010, 10:29 Uhr, Flugplatz Payerne (Schweiz). Unter den Augen von Tausenden von Zuschauern hebt ein Unikum mit der Spannweite eines Airbus A340 und dem Gewicht eines Mittelklassewagen ab – angetrieben von vier 10 PS-Elektromotoren. Profi-Testpilot Markus Scherdel absolviert einen fast eineinhalbstündigen Flug, bei dem der Solar Impulse-Prototyp alle Erwartungen der Ingenieure erfüllt. Es ist der erste grosse Erfolg nach sieben Jahren Arbeit. Am Pistenrand sind die Emotionen entsprechend gross.

Neun andere grosse Flüge folgen, um das Verhalten des Flugzeugs zu testen und notwendige Änderungen durchzuführen. Nachtstart, Höhenflüge, Studien des Neigungswinkels, Austesten der minimalen Geschwindigkeit... Der Prototyp durchläuft eine ganze Reihe strenger Tests. Markus Scherdel und André Borschberg wechseln sich am Steuer ab. Der «Crashkäfig» – ein Stahlgerüst, das den Piloten bei einem Unfall schützen soll – wird durch die Cockpithülle ersetzt.

Das Bundesamt für Zivilluftfahrt (BAZL), das Bau und Tests Schritt für Schritt begleitet hat, erteilt die Bewilligung für den Nachtflug.

FIRST REAL FLIGHT

April 7, 2010, 10:29, Payerne airfield (Switzerland). A weird, outsized dragonfly, with the wingspan of an Airbus A340 and as light as a family car, took to the air propelled by four 10 HP eletreic engines in front of thousands of spectators. Markus Scherdel flew the plane for almost an hour and a half, confirming that the Solar Impulse prototype met engineers' expectations. This was the first fruit of seven years of work. Along the runway edge, emotions ran high on witnessing this success.

Nine other major flights followed, to test the aircraft's behavior and make necessary adjustments. Night take-off, high altitude flights, tests of the bank angle and the minimum flight speed... the prototype was taken through a series of rigorous processes. Markus Scherdel and André Borschberg took turns at the controls. Gradually, the "crash cage" – a steel frame designed to protect the pilot in the event of an accident – was replaced by a cockpit with streamlined fairing.

The Federal Office of Civil Aviation (FOCA), which had followed the entire construction and testing process step by step, gave its permission for the night flight.

VOL DE NUIT

Le 7 juillet 2010, le HB-SIA a rendez-vous avec son destin : prouver qu'il est capable de voler de nuit comme de jour uniquement à l'énergie solaire et faire ainsi la démonstration de l'incroyable potentiel des énergies renouvelables.

Pendant toute la journée, les cellules solaires ont simultanément chargé les batteries et fait tourner les moteurs. Pour André Borschberg, habitué aux avions à réaction, l'expérience la plus fascinante a été de voir les réserves d'énergie augmenter au fil du vol ! A l'aube, après une nuit de suspense intense, où les batteries ont alimenté les moteurs, il restait quatre heures d'autonomie.

Après 26 heures 10 minutes 19 secondes d'un vol exceptionnel culminant à 8720 mètres d'altitude, André repose l'appareil en douceur sur la base de Payerne, signant ainsi une grande première dans l'histoire de l'aviation : l'avion a réussi son rendez-vous avec le lever du soleil, approchant ainsi le mythe du vol perpétuel. L'objectif défini pour le HB-SIA est atteint et ce premier vol de nuit de Solar Impulse rencontre un succès planétaire : la presse relate l'exploit dans le monde entier et dans toutes les langues. En catégorie «avion solaire», la Fédération Aéronautique Internationale (FAI) attribue trois records du monde à André Borschberg : celui de durée, d'altitude maximale et de gain d'altitude.

NACHTFLUG

Am 7. Juli 2010 hat der Prototyp HB-SIA eine Verabredung mit dem Schicksal : Er muss zeigen, dass es möglich ist, Tag und Nacht nur mit Solarenergie zu fliegen, und soll so den Beweis für das unglaubliche Potenzial der erneuerbaren Energien erbringen.

Den ganzen Tag über laden die Solarzellen gleichzeitig die Batterien und treiben die Motoren an. Der an Düsenflugzeuge gewohnte André Borschberg beobachtet fasziniert, wie die Energiereserven im Verlauf des Flugs ansteigen ! Nach einer spannungsgeladenen Nacht mit Batterieversorgung der Motoren hat das Flugzeug beim Morgengrauen noch Energiereserven für vier Stunden.

Nach einem aussergewöhnlichen Flug von 26 Stunden, 10 Minuten und 19 Sekunden bis auf 8720 Meter Höhe setzt André die Maschine sanft auf dem Flugplatz Payerne auf und vollendet damit eine Premiere in der Luftfahrtgeschichte: Das Rendez-vous zwischen Flugzeug und Sonnenaufgang ist geglückt und die Machbarkeit des immerwährenden Flugs ist ein Stück näher gerückt. Die für die HB-SIA definierte Zielsetzung ist erreicht und findet globale Beachtung: die Medien berichten weltweit und in allen Sprachen über den Flug. Vom internationalen Luftfahrtverband FAI werden André Borschberg in der Kategorie «Solarflugzeug» drei Weltrekorde zuerkannt : längste Dauer, grösste Höhe und grösster Höhengewinn.

NIGHT FLIGHT

On July 7, 2010, the HB-SIA had its meeting with destiny. The aim was to prove its ability to fly day and night on solar energy alone and so demonstrate the incredible potential of renewable energy.

Throughout the day, the solar cells simultaneously charged the batteries and turned the engines. For André Borschberg, accustomed to jet aircraft, the most fascinating experience was to see energy reserves increase during flight! At dawn, after a night of intense suspense, during which the batteries fed the engines, there was still energy to spare for another four hours' flight.

After 26 hours 10 minutes and 19 seconds of an exceptional flight up to a peak altitude of 8720 meters, André gently brought the aircraft in to land at Payerne airbase and in so doing marked a major first in aviation history: the aircraft had kept its rendezvous with the sunrise, coming close to the mythical state of perpetual flight. The target set for the HB-SIA had been reached and Solar Impulse's first night flight had been an overall success. The press sent the news around the world in every language. In the "solar aircraft" category, the Fédération Aéronautique Internationale (FAI) awarded three world records to André Borschberg: for duration, maximum altitude and elevation gain.

ÉPOPÉE EN DIRECT

Le HB-SIA est maintenant un avion éprouvé. Reste encore à exercer l'atterrissage de nuit et l'intégration dans le trafic aérien. En septembre 2010, André relie Payerne aux aéroports de Genève et de Zurich. Fin et léger, mais d'aussi grande envergure, le prototype crée la surprise au milieu de ses voisins de tarmac fonctionnant au kérosène.

L'Association Internationale du Transport Aérien (IATA) décide de prendre l'exemple de Solar Impulse pour encourager la diminution des émissions des avions commerciaux.

Toutes les missions ont pu être suivies par le public en direct sur Internet grâce aux outils de communication « Ecofriendly brought to you by Deutsche Bank ».

Le programme éducatif de la Fondation Solar Impulse, lancé dans le but d'encourager les changements de comportement dans le domaine des économies d'énergie et des énergies renouvelables, rencontre de plus en plus de succès. Un Supporter Program, original et ludique, accessible par Internet à ceux qui souhaitent apporter leur voix au projet, propose aux passionnés de l'aventure d'adopter une des 10 748 cellules de l'aile, de visiter la base de l'avion solaire ou encore d'apposer leur nom sur le fuselage.

Mais il faudra aller encore plus loin pour permettre au public de suivre les missions du deuxième avion. A cette fin, Swisscom développe un module de transmission d'images et de données par satellite entre l'avion et le sol, d'une légèreté encore inédite.

DRAMATIK LIVE ERLEBEN

Der Prototyp HB-SIA ist nun ein erprobtes Flugzeug. Geübt werden müssen nur noch die Nachtlandung und das Einfügen in den Flugverkehr. Im September 2010 fliegt André von Payerne aus zu den Flughäfen Genf und Zürich. Zart und leicht aber mit grosser Spannweite überrascht der Prototyp neben seinen mit Kerosin betriebenen Nachbarn auf dem Rollfeld.

Der Verband des Internationalen Luftverkehrs (IATA) beschliesst, Solar Impulse als Vorbild zu nehmen, um den Schadstoffausstoss der Verkehrsflugzeuge zu verringern.

Dank der von der Deutschen Bank zur Verfügung gestellten live Übertragungen « Ecofriendly brought to you by Deutsche Bank » konnten alle Flüge live im Internet verfolgt werden.

Mit dem Ziel, die Öffentlichkeit zum Energiesparen und zur vermehrten Nutzung erneuerbarer Energien zu ermuntern, hat die Solar Impulse Stiftung ein Schulprogramm ins Leben gerufen, das sich zunehmender Beliebtheit erfreut. Zudem bietet das Supporters Program allen, die das Projekt unterstützen möchten, auf originelle und spielerische Weise die Möglichkeit, im Internet eine Patenschaft über eine der 10 748 Solarzellen auf dem Flügel zu übernehmen, das Flugzeug auf seiner Basis zu besichtigen oder ihren Namen auf dem Flugzeugrumpf verewigen zu lassen.

Damit die Öffentlichkeit die Flüge des zweiten Flugzeugs live noch besser miterleben kann, entwickelt Swisscom ein ultraleichtes Modul für die Bild- und Datenübertragung per Satellit zwischen Flugzeug und Boden.

EPIC IN REAL TIME

The HB-SIA was now a proven aircraft. Still to come were night landing practice and the task of integrating the aircraft into air traffic. On September 2010, André flew from Payerne to Geneva and Zurich airports. Delicately built and lightweight, but with a huge wing span, the prototype caused quite a stir parked alongside its kerosene-fuelled neighbors on the tarmac.

The International Air Transport Association (IATA) decided to use the Solar Impulse as an example to encourage emission reduction in the airline business.

The public was able to follow all the missions live through the "Ecofriendly Brought to you by Deutsche Bank" Internet communication tools.

The Educational Program, launched by the Solar Impulse Foundation to encourage changes in behavior towards energy saving and renewable energy, has become increasingly more successful. An original entertaining Supporter Program, accessible on the Internet by those wishing to lend their voices to the project, offers fans of this venture the chance to adopt one of the 10,748 cells on the wing, visit the solar airplane base or put their names on the fuselage.

However, further advances will allow the public to follow the missions of the second plane even more closely. As part of this process, Swisscom is developing a totally new, lightweight module for satellite transmission of images and data between the aircraft and the ground.

HB-SIB

Bénéficiant des enseignements du premier prototype et profitant des progrès technologiques, un second avion plus performant, le HB-SIB, devrait voler dès 2013. Plus grand, mais plus léger, il bénéficiera d'un cockpit plus spacieux et d'un pilote automatique, tous deux nécessaires pour des vols de cinq jours et cinq nuits.

Solvay continuera à parier dans les secteurs chimie et plastique sur des matériaux innovants. De plus, pour améliorer la performance des batteries et la résistance des composants structurels, un nouveau Partenaire Officiel, Bayer MaterialScience fera également bénéficier Solar Impulse de ses dernières recherches dans les domaines des polymères et des nanotechnologies.

L'objectif du HB-SIB consistera à rééditer à l'énergie solaire les grandes premières de l'histoire de l'aviation, puis, point culminant du projet, de se lancer dans un tour du monde en cinq étapes d'environ cinq jours chacune.

HB-SIB

Aufbauend auf den Erfahrungen des Prototyps und dem neuesten Stand der Technik soll ein zweites leistungsstärkeres Flugzeug, die HB-SIB, ab 2013 fliegen. Sie wird grösser und leichter sein und über ein geräumigeres Cockpit und einen Autopiloten verfügen, beides unabdingbare Voraussetzungen für Langzeitflüge von fünf Tagen und fünf Nächten.

Solvay wird in den Bereichen der Chemie und Kunststoffe weiterhin zur Entwicklung innovativer Materialien beitragen. Zur Verbesserung der Batterieleistung und der Widerstandsfähigkeit der Strukturen stellt zudem Bayer MaterialScience, neuer offizieller Partner, sein aktuelles Wissen in den Bereichen der Polymere und Nanotechnologien zur Verfügung.

Ziel der HB-SIB ist, mit Solarenergie die grossen Premieren der Luftfahrtgeschichte neu aufzulegen, um schliesslich als Höhepunkt zur Weltumrundung in fünf je fünftägigen Etappen zu starten.

HB-SIB

With the lessons learned from the first prototype and the benefit of more advances in technology, a second more powerful aircraft, the HB-SIB, should take to the air in 2013. Bigger, but lighter, it will have a roomier cockpit and an autopilot, both essential for flights lasting five days and five nights.

Solvay will continue its quest for innovative materials in the chemicals and plastics sectors. In addition, to improve battery performance and the strength of the structural components, a new Official Partner, Bayer MaterialScience will also bring its latest research in polymers and nanotechnology to Solar Impulse.

The objective for HB-SIB will be to repeat the great firsts in aviation history, using only solar energy, and culminating in a world tour in five legs of approximately five days each.

AMBASSADEUR DES ÉNERGIES RENOUVELABLES

Les contacts se nouent maintenant avec le monde politique. Bertrand Piccard explique le projet au Parlement suisse, les ministres de l'économie et de l'environnement viennent tour à tour visiter la halle de construction et parler de politique énergétique. Solar Impulse progresse ainsi non seulement sur le plan technique, mais sa notoriété et sa portée symbolique s'affirment, bien au-delà des frontières naturelles de l'Europe. Bertrand et André présentent le projet en Chine, au Japon, en Inde, au Brésil et dans les Emirats.

La Commission européenne assure son parrainage au projet en avril 2008, signe de reconnaissance de l'impact et de l'action de Solar Impulse en faveur des énergies renouvelables. Pour la Commission européenne, le symbole véhiculé par l'avion solaire est une démonstration de ce qui doit être entrepris dans l'industrie et la politique énergétique en termes d'économies d'énergie et de mobilité propre.

D'éminentes personnalités engagées à chercher des solutions concrètes pour assurer l'avenir de la planète décident de participer à l'aventure en la parrainant. Parmi eux, le Prince Albert II de Monaco, Buzz Aldrin, Yann-Arthus Bertrand, Paulo Coelho, Nicolas Hulot, Hubert Reeves, Jean-Louis Etienne, et les Prix Nobel de la paix Elie Wiesel et Al Gore.

BOTSCHAFTER DER ERNEUERBAREN ENERGIEN

Nun werden auch Kontakte zur politischen Welt geknüpft. Bertrand Piccard stellt das Projekt im schweizerischen Parlament vor, die Minister für Wirtschaft und Umwelt besuchen nacheinander die Konstruktionshalle und sprechen mit ihm über Energiepolitik. Solar Impulse kommt so nicht nur technisch voran, auch sein Bekanntheitsgrad und seine Symbolkraft reichen bald über die Grenzen Europas hinaus. Bertrand Piccard und André Borschberg präsentieren das Projekt in China, Japan, Indien, Brasilien und den Vereinigten Arabischen Emiraten.

Im April 2008 sichert die Europäische Kommission dem Projekt ihre Patenschaft zu und erkennt damit Bedeutung und Einsatz von Solar Impulse zugunsten der erneuerbaren Energien an. Für die Europäische Kommission ist Solar Impulse das Symbol für die anstehenden Herausforderungen von Industrie und Energiepolitik bei der Energieeffizienz und der sauberen Mobilität.

Zahlreiche Persönlichkeiten, die sich für die Suche nach konkreten Lösungen für die Zukunft unseres Planeten engagieren, stellen sich als Paten des Abenteuers zur Verfügung. Unter ihnen Fürst Albert II von Monaco, Buzz Aldrin, Yann-Arthus Bertrand, Paulo Coelho, Nicolas Hulot, Hubert Reeves, Jean-Louis Etienne sowie die Nobelpreisträger Elie Wiesel und Al Gore.

AMBASSADOR FOR RENEWABLE ENERGIES

Contacts are now being made in the world of politics. Bertrand Piccard has explained the project to the Swiss Parliament, while the ministers of economics and environment have both come to visit the hangar and talk energy policy. Solar Impulse is not just advancing technically: its reputation and its symbolic value are also being boosted well beyond the natural borders of Europe. Bertrand and André have already presented the project in China, Japan, India, Brazil and the UAE.

The European Commission endorsed the project in April 2008, as a sign of recognition of the impact of Solar Impulse and what it is doing to promote renewable energy. For the European Commission, this solar airplane symbolizes the advances that need to be made by industry and in energy policy towards energy saving and clean mobility.

Eminent people committed to seeking concrete solutions to secure the future of the planet have also decided to publicly endorse the project. Among them are Prince Albert II of Monaco, Buzz Aldrin, Yann Arthus-Bertrand, Paulo Coelho, Nicolas Hulot, Hubert Reeves, Jean-Louis Etienne, and Nobel Peace Prize winners Elie Wiesel and Al Gore.

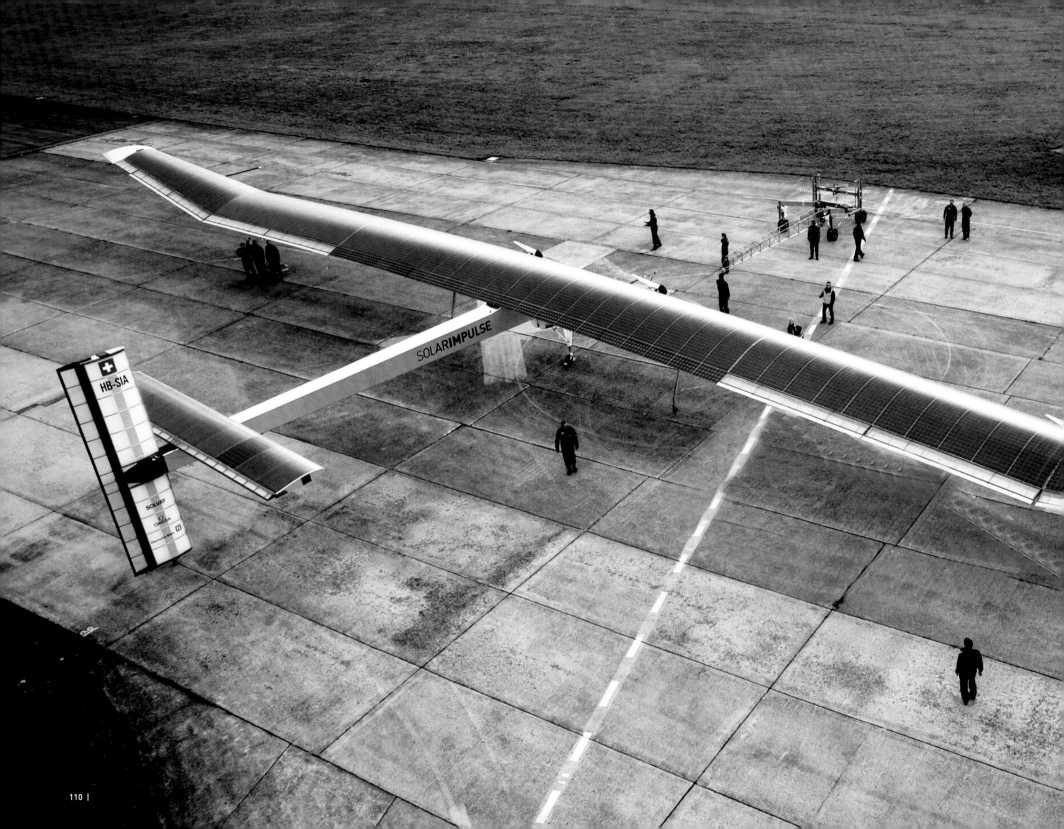

Jamais encore un avion aussi grand, léger
et économe en énergie n'avait réussi à voler

Nie zuvor ist ein derart grosses, leichtes
und energiesparendes Flugzeug geflogen

Never before had such a large, light, energy
saving aircraft been flown successfully

Pour faire le tour du monde, une puissance moyenne équivalente à celle des frères Wright en 1903

Die durchschnittliche Energieleistung für die Weltumrundung entspricht jener der Brüder Wright im Jahr 1903

Going round the world on an average power output equal to what the Wright Brothers had in 1903

Mission possible: faire décoller les énergies renouvelables!

Mission possible: Start frei für die erneuerbaren Energien!

Mission possible: getting renewable energy off the ground!

Dans un monde dépendant des énergies fossiles, le projet Solar Impulse est un paradoxe, presque une provocation

In einer von fossilen Energien abhängigen Welt ist das Projekt Solar Impulse ein Paradox, fast eine Provokation

In a world dependant on fossil fuels, the Solar Impulse project is a paradox, almost a provocation

Une vision différente de l'impossible

Eine neue Vision des Unmöglichen

A vision defying the impossible

Solar Impulse n'a pas été construit
pour transporter des passagers,
mais pour transporter des messages

Solar Impulse transportiert keine
Passagiere sondern Botschaften

Solar Impulse has been built not to carry
passengers but to carry messages

Gérer l'énergie à sa disposition : se retrouver
le soir avec des batteries pleines et les économiser
au maximum pour tenir en l'air jusqu'au jour suivant

Energiemanagement : Am Abend müssen die Batterien
voll sein und möglichst sparsam genutzt werden, um
das Flugzeug bis zum nächsten Tag in der Luft zu halten

Managing available energy: in the evening, batteries
must be fully charged and used as sparingly as
possible in order to stay airborne until the next day

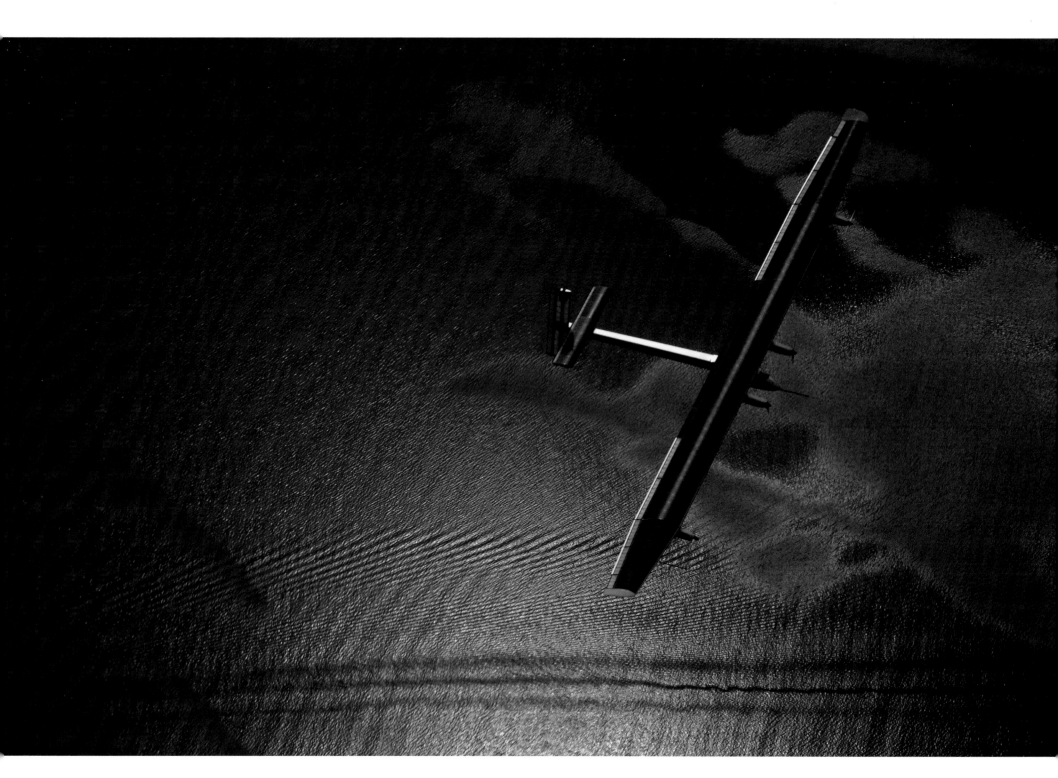

Placer le rêve et l'émotion au
cœur de l'aventure scientifique

Träume und Emotionen im Zentrum
des wissenschaftlichen Abenteuers

Placing dreams and emotion at
the heart of scientific adventure

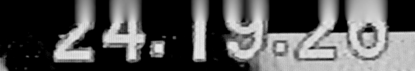

Si un avion est capable de voler nuit et jour
sans carburant, propulsé uniquement par
l'énergie du soleil, que personne ne vienne
ensuite prétendre qu'il est impossible
de faire la même chose pour des véhicules,
des chauffages, des climatiseurs
ou des ordinateurs.

Wenn ein Flugzeug Tag und Nacht nur
mit Solarenergie und ohne einen Tropfen
Treibstoff fliegen kann, darf niemand mehr
behaupten, dass das Gleiche nicht auch
bei Fahrzeugen, Heizungen, Klimaanlagen
oder Computern möglich ist.

If an aircraft can fly night and day without
fuel, powered only by the energy of the sun,
who can then claim that we cannot do
the same with vehicles, heating systems,
air conditioners or computers?

Encourager une politique énergétique ambitieuse : économiser 30% d'énergie, réduire de 30% les émissions de CO_2 et recourir à 30% d'énergies renouvelables d'ici à 2020

Für eine ehrgeizige Energiepolitik: 30% weniger Energieverbrauch, 30% weniger CO_2-Emissionen und ein Anteil von 30% an erneuerbaren Energien bis 2020

Encouraging an ambitious energy policy: a 30% saving in energy, a 30% reduction in CO_2 emissions and a 30% use of renewable energy by 2020

Les technologies d'aujourd'hui permettraient déjà de diviser par deux la consommation d'énergies fossiles de notre société

Schon mit den heutigen Technologien könnten wir unseren fossilen Energie-verbrauch um die Hälfte senken

With today's technologies, we could already halve the consumption of fossil energy in our society

Un design épuré et futuriste, la signature
même de l'esprit du projet dans le ciel

Das schlichte und futuristische Design als
Schriftzug des Projektgeistes im Himmel

A refined futuristic design, the signature
of the project's spirit in the sky

Solar Impulse croit en
la force des symboles

Solar Impulse glaubt an
die Kraft von Symbolen

Solar Impulse believes
in the power of symbols

Une équipe venant de tous horizons
pour trouver les réponses à des
problèmes jusqu'ici insolubles

Ein Team aus allen Fachbe-
reichen finden Antworten auf
bisher ungelöste Fragen

A team coming together from
many different of backgrounds
to seek answers to hitherto
insolvable problems

ROBERT ADAM JACQUES-HENRI ADDOR TIZIANA ANDREANI ALAIN ANDREY
MARCUS BASIEN CHRISTOPHE BÉESAU FLAVIO BEZZOLA JEAN-MARIE BLAIRON
GREGORY BLATT ANDRÉ BORSCHBERG ELÂ BORSCHBERG
STEFAN BRÖNNIMANN RACHEL BROS DE PUECHREDON BERTRAND CAHUZAC
MATHIEU CÊTRE RAYMOND CLERC DAVID DEHENAUW SÉBASTIEN DEMONT
ROBERT FRAEFEL PEER FRANK PETER FREI FRIDOLIN GALLATI
NIKLAUS GERBER ALEXANDRA GINDROZ DAVID GLASSEY ENRIQUE GUINALDO
KAREN CECILIA HANSSON BERNARD HINZ BRIAN JONES KARL KÄSER
BORIS KÖLMEL MARTEEN KORENROMP UELI KRAMER ROBIN LADMIRAL
PHILIPPE LAUPER RICHARD LEBLOIS GAËL LEMOINE ROBERT LEU
MARC LIENHARD HERBERT LIESER RAINER LOTZ JOAO PEDRO LOUREIRO
ALEXANDRE LUYET FLAVIEN MATTHEY MICHAEL MCGRATH MARTIN MEYER
GREG MOEGLI TONJA MÜLLER PHIL MUNDWILLER MICHAEL NAEGELI
BRUNO NEININGER MARGRET NEUENSCHWANDER HEINER NEUMANN
CLAUDE NICOLLIER SEPP NIEDERNHUBER SANDRA OBERHOLLENZER
KARL OSEN RALPH PAUL SEBASTIAN PECHMANN ANNE-LAURE PERRIER
JACQUES PEUGEOT STEFAN PFAMMATTER BERTRAND PICCARD
MICHÈLE PICCARD GERI PILLER LYSSANDRE RAMOS PHILIPPE RATHLE
ERIC RAYMOND HANNES ROSS ROSSELLA RUSSO PATRICK SAAT JONAS SCHÄR
MARKUS SCHERDEL PETER SCHINDLER CHRISTOPH SCHLETTIG ULI SEEGERS
DIETER SIEBENMANN ROGERS SMITH JOERG SPICHTIG THOMAS STREULI
JOËL SUNIER LILIAN THIÉBLOT SEBASTIAN THIEL FREDERICK TISCHHAUSER
LUIGGINO TORRIGIANI ANTOINE TOTH LUC TRULLEMANS LENNERT VAN DER
BERG SELINA VON SCHACK NIKLAUS VON DÄNIKEN HANS WÜSTEMANN
SIMON WYSS STÉPHANE YONG BRIGITTE ZAHND MASSOUMA ZIAI

A l'engagement de l'équipe répond la
détermination inconditionnelle des partenaires.
Pour imaginer ensemble de nouvelles solutions

Einsatzbereitschaft des Teams und
bedingungslose Entschlossenheit der Partner.
Um gemeinsam neue Lösungen zu finden

Team commitment and the unwavering
determination of partners combining to
create new solutions together

PARTENAIRES SOLAR IMPULSE
PARTNER SOLAR IMPULSE
SOLAR IMPULSE PARTNERS

MAIN PARTNERS

SOLVAY
Advanced Materials
Solution Provider

OMEGA
Technology Provider
and Time Keeper

DEUTSCHE BANK
A passion for innovation

OFFICIAL PARTNER

ALTRAN
Engineering Partner

BAYER MATERIAL SCIENCE
Official Partner

**OFFICIAL NATIONAL
PARTNER**

SWISSCOM
National Telecom Partner

**INSTITUTIONAL
PARTNERS**

EPFL
Official Scientific Advisor

IATA
Institutional Partner

ESA
Program of Technology
Transfer

EMPA
Institutional Partner

AERONAUTICAL PARTNER

DASSAULT AVIATION
Aircraft Manufacturer
Advisor

OFFICIAL SUPPORTERS

SEMPER
Official Supporter

CLARINS
Official Supporter

**OFFICIAL NATIONAL
SUPPORTERS**

TOYOTA AG
Swiss Hybrid Supporter

BKW / FMB ENERGIE
Official National Supporter

**SERVICES INDUSTRIELS
DE GENEVE**
Official National Supporter

OFFICIAL SUPPLIERS

VICTORINOX
Swiss Knife Supplier

SOLARMAX
Official Supplier

**OFFICIAL NATIONAL
SUPPLIERS**

LA SEMEUSE
Official National Supplier

HIRSLANDEN
Medical Advisor

SPECIALIZED PARTNERS

ABAECHERLI DRUCK
Printing Specialist

AIR ENERGY
Lithium Batteries
Management

ALR
Design Expert

AVESCO RENT
Equipment rental specialist

**BRUEHLMEIER
MODELLBAU**
Manufacturer of
composite parts

COBHAM SATCOM
Satellite communication
system specialist

COBHAM SURVEILLANCE
Telemetry specialist

COURVOISIER
Printing specialist

CREATIVES
Mobile Application Partner

DASSAULT SYSTÈMES
Software Design

DÉCISION
Composite Materials

Dr. MARTIN HEPPERLE
Aerodynamics and
propeller design

DLR
Ground Vibration Specialist

DRIVETEK
Electrical Systems

EADS Defense & Security
Helicopters Support

ETEL
Electric Motor Propulsion

EURAAUDIT SUISSE
Auditors

EUROPAVIA (SUISSE)
Eurocopter Distributor,
Swiss Helicopter Group

FIDULEM
Chartered Accountants

FLY-IN BALLOONS
Mobile Hangar Developer

FRIDERICI SPECIAL
Special Transport

**GONTHIER &
SCHNEEBERGER**
Insurance broker

HERPA
Model Specialist

HS TURBOMASCHINEN
Turbo-compressor for the
Pressurization System

INFOMANIAK NETWORK
Website Hosting

**INSTITUT ROYAL
MÉTÉOROLOGIQUE
DE BELGIQUE**
Meteorology and Routing

**INSTITUT DE
MICROTECHNIQUE
DE L'UNIVERSITE
DE NEUCHÂTEL**
Photovoltaic Cells Expert

INTER-TRANSLATIONS
Translations Specialist

JEPPESEN
Aeronautical Integrated
Solutions

LE TRUC
3D Animation
and Special Effects

LISTA OFFICE
Mission Room Provider

**LUCERNE UNIVERSITY
OF APPLIED
SCIENCE AND ARTS**
Study of Fluid/Structure
Interaction

MAKROART
Large Scale Digital Printing

MÉTÉOSUISSE
Meteorology specialist

MICRO-BEAM
Electric Motor Driver

MÖBEL PFISTER
VIP Lounge Provider

NÜSSLI SCHWEIZ
Temporary Construction
Specialist

OBERSON & ASSOCIÉS
Fiscal legal Advisors

ON AIR
Swift Broadband
Satellite connectivity

PIELLEITALIA
Team & Project Clothing

PLASMA COMMUNICATION
Technical Video Services

QNX SOFTWARE SYSTEMS
Real-time Operating
System Provider

RUAG AEROSPACE
Aerodynamics and
Structure Testing

SAVEURS&COULEURS
Catering specialist

SKF (SWITZERLAND)
Bearing Technology,
Analytic Modeling,
Virtual Testing

SOURIAU
Connectors Specialist

SQS
Swiss Association for
Quality and Management
Systems

3S SWISS SOLAR SYSTEM
Solar Cells Strings
Manufacturing

TAVERNIER TSCHANZ
Legal Advisor

THOEMUS AG
Electro Bikes Specialist

TRANSCAT PLM
Software support

TRIADEM SOLUTIONS
Hardware and Software
Specialist

UDITIS
Guest Lead Event Solution

VACUUMSCHMELZE
Permanent Magnets

VECTRONIX
Night Vision
Goggles specialist

**ZHAW, ZURICH UNIVERSITY
OF APPLIED SCIENCES**
Meteorology consultant

SUPPLIERS

AC Propulsion
AD & C
AeroFEM GmbH
Beringer
Bontron & Co
Jean Chessex
La Souris Verte
Mettler-Toledo
Modeco AG
Mountain High E&S Co
On Top AG
Sunpower
Transmetra
TSR

OTHERS

Présence Suisse
Lake Geneva Region

Par le biais de la Fondation Solar Impulse,
les donations des Angels et des Supporters
permettent des projets éducatifs portant sur
l'esprit de pionnier et les énergies renouvelables

Über die Stiftung Solar Impulse fliessen
die Beiträge der Angels und Supporter in
die Finanzierung von Lernprogrammen über
Pioniergeist und erneuerbare Energien

Contributions made through the Solar Impulse
Foundation by our Angels and Supporters help
to fund educational projects on the pioneering
spirit and renewable energy

FONDATION SOLAR IMPULSE
SOLAR IMPULSE STIFTUNG
SOLAR IMPULSE FOUNDATION

IMPRESSUM

DIRECTION DE PROJET
Michèle Piccard

DIRECTION ARTISTIQUE
Jérôme Bontron

CONCEPTION – GRAPHISME
Bontron & Co – Genève
Loredana Serra, Yashka Steiner
www.bontron.ch

RÉDACTION TEXTES
Bertrand Piccard
Jacques-Henri Addor

TRADUCTEURS
Marianne Zuend (allemand)
Michael Lomax (anglais)
Straco Translation – Gordon Thomson (anglais)

IMPRESSION
Courvoisier – Bienne – Suisse
Jean-Marc Peltier
www.courvoisier.ch

SOLAR IMPULSE S.A.
PSE-C, EPFL Scientific Park
CH-1015 Lausanne, Switzerland
www.solarimpulse.com

MIX
Paper from
responsible sources
FSC® C009271

Imprimé dans le respect de la norme
environnementale ISO 14001.

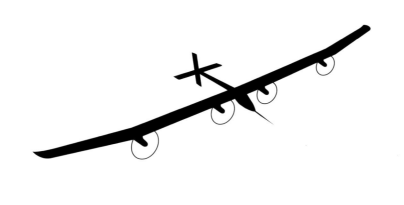